Ho'oponopono
Sem Mistérios

Dados Internacionais de Catalogação na Publicação (CIP)
(Câmara Brasileira do Livro, SP, Brasil)

Luyé-Tanet, Laurence
    Ho'oponopono sem mistérios : guia prático de autocura havaiano e seus benefícios na vida diária / Laurence Luyé--Tanet; tradução Karina Jannini. — São Paulo : Pensamento, 2018.

    Título original: Ho'oponopono : la méthode des guérisseurs hawaïens pour libérer vos mémoires spirituelles.
    Bibliografia.
    ISBN 978-85-315-2020-4
    1. Autoconhecimento 2. Filosofia de vida 3. Ho'oponopono 4. Ho'oponopono — Técnica de cura 5. Medicina alternativa — Hawai 6. Vida espiritual 7. Terapia alternativa I. Título.

18-14642   CDD-615.8528

Índices para catálogo sistemático:
1. Poder de cura : Meditação : Terapia alternativas 615.8528

Laurence Luyé-Tanet

Ho'oponopono
Sem Mistérios

Guia Prático de Autocura Havaiano
e seus Benefícios na Vida Diária

Tradução
Karina Jannini

Editora
Pensamento
SÃO PAULO

Título do original: *Ho'oponopono — La Méthode des Guérisseurs Hawaïens pour Libérer vos Mémoires Spirituelles.*
Copyright © 2013 Éditions Dangles.
Copyright da edição brasileira © 2018 Editora Pensamento-Cultrix Ltda.
1ª edição 2018.
8ª reimpressão 2022.

Todos os direitos reservados. Nenhuma parte deste livro pode ser reproduzida ou usada de qualquer forma ou por qualquer meio, eletrônico ou mecânico, inclusive fotocópias, gravações ou sistema de armazenamento em banco de dados, sem permissão por escrito, exceto nos casos de trechos curtos citados em resenhas críticas ou artigos de revista.

A Editora Pensamento não se responsabiliza por eventuais mudanças ocorridas nos endereços convencionais ou eletrônicos citados neste livro.

Aviso

As informações contidas neste livro foram estudadas com critério e passaram pelo crivo de nossos conhecimentos e de nossa ética. Todavia, nem o autor nem o editor assumem a responsabilidade por danos eventuais ou reais que possam ocorrer em decorrência da utilização ou aplicação direta ou indireta das técnicas apresentadas na obra.

As recomendações aqui contidas não substituem em absoluto o tratamento médico. Caso haja a suspeita de uma doença, recomendamos insistentemente que se consulte um médico.

Editor: Adilson Silva Ramachandra
Editora de texto: Denise de Carvalho Rocha
Gerente editorial: Roseli de S. Ferraz
Preparação de originais: Danilo Di Giorgi
Produção editorial: Indiara Faria Kayo
Editoração eletrônica: Mauricio Pareja da Silva
Revisão: Vivian Miwa Matsushita

Direitos de tradução para o Brasil adquiridos com exclusividade pela EDITORA PENSAMENTO-CULTRIX LTDA., que se reserva a propriedade literária desta tradução.
Rua Dr. Mário Vicente, 368 — 04270-000 — São Paulo — SP
Fone: (11) 2066-9000
http://www.editorapensamento.com.br
E-mail: atendimento@editorapensamento.com.br
Foi feito o depósito legal.

AGRADECIMENTOS

Meu enorme agradecimento ao doutor Hew Len e a Joe Vitale, que contribuíram para a difusão, em nível mundial, dessa antiga sabedoria havaiana que é o Ho'oponopono.

Agradeço também à Mireille, por tê-la ensinado a mim, e à Martine, por ter me incentivado a utilizá-la.

Agradeço a todas as pessoas com as quais pude praticar o Ho'oponopono. Cada uma delas me permitiu continuar a purificar minhas memórias... cada uma delas é um pequeno grão deste livro.

Obrigada a toda a equipe das edições Dangles.

A meu pai, Francisco Abellán Hernández, com todo o meu amor.

SUMÁRIO

UMA BREVE HISTÓRIA SOBRE ESTE LIVRO 11
INTRODUÇÃO 15

BASES DA CULTURA NA QUAL O HO'OPONOPONO
TEM ORIGEM 19
    Aloha 19
    A Huna 20
    O lei *havaiano* 21

A IMPRESSIONANTE HISTÓRIA DO HO'OPONOPONO
NO HOSPITAL PSIQUIÁTRICO DO HAVAÍ 23

HO'OPONOPONO: UMA FILOSOFIA DE VIDA 27

AS QUATRO ETAPAS DO PROCESSO 31

HO'OPONOPONO OU AS QUATRO FRASES 33

COMO PROCEDER DE MANEIRA CONCRETA 35

ALINHAMENTO DO NOSSO EU COM NOSSO
SER PROFUNDO 39
   Como as memórias agem — Processo de perdão e reajuste 39
   A responsabilidade 42

COMO ESSA PURIFICAÇÃO SE MANIFESTA? 47

REENCONTRAR O CURSO DA VIDA COM O
HO'OPONOPONO 55

O HO'OPONOPONO E OS TEMPOS EM QUE VIVEMOS 59

MODIFICAR NOSSO CAMPO VIBRATÓRIO
E ESCOLHER NOSSA VIDA 65

POR QUE LIBERAR ENERGIAS BLOQUEADAS 73

RESOLVER OS PRÓPRIOS CONFLITOS PARA SER FELIZ .. 77

A NOÇÃO DE KARMA E A PURIFICAÇÃO
DAS MEMÓRIAS 81

VOCÊ É MUITO MAIS DO QUE SUA HISTÓRIA,
MUITO MAIS DO QUE SUAS MEMÓRIAS 87

NOSSOS PENSAMENTOS SÃO A ENERGIA QUE PODEMOS
CANALIZAR 91

1º exercício — Conectar-se ao nível mais elevado em si mesmo..... 94
2º exercício — Aprender a desenvolver a própria sensibilidade..... 94
3º exercício — Depurar as próprias percepções 95
4º exercício — Favorecer a concentração e a calma mental 96

O HO'OPONOPONO NA PRÁTICA 97
No nível relacional 98
No nível transgeracional 101
No nível profissional 102
As crenças 104
No nível financeiro 104
Situação de dependência 108
Problema em relação a um acontecimento futuro 109
No nível das emoções e dos sentimentos 109
No nível do passado 113
Sobre a violência 114
Autoconfiança e autoestima 115
O Ho'oponopono e as pessoas no fim da vida 116
O Ho'oponopono e o luto 118
Utilizar o Ho'oponopono numa situação terapêutica 120
O Ho'oponopono como meditação 121
Utilizar o Ho'oponopono para uma casa 122
O Ho'oponopono para o ambiente 123
O Ho'oponopono de manhã, ao despertar 123
O Ho'oponopono à noite, antes de dormir 124
O Ho'oponopono com os animais 124
A oração da cura 125

CULTIVAR A GRATIDÃO 127

CONCLUSÃO 129

BIBLIOGRAFIA 133

UMA BREVE HISTÓRIA SOBRE ESTE LIVRO

Num primeiro momento, utilizei muito o Ho'oponopono em mim mesma e obtive resultados surpreendentes. Utilizei-o também nas pessoas que acompanho, e mais uma vez me surpreendi com os resultados. Elas com frequência relataram mudanças e alívio imediato.

Lembro-me de uma pessoa que veio me procurar, como um último recurso. Depois de anos de acompanhamento psicoterapêutico, ela continuava num estado de depressão muito severo. Apesar dos medicamentos que tomava, quando ela veio ao nosso primeiro encontro, eu nunca tinha me deparado com um estado de sofrimento semelhante, tanto que me esqueci naquele momento de estabelecer o que em psicoterapia chamamos de quadro terapêutico. Quando essa pessoa foi embora, a evidência da necessidade de praticar o Ho'oponopono para ela se impôs, e foi o que fiz durante dois dias, sempre que tinha um tempo livre. Não me questionei; era uma evidência, como se essa prática que eu tinha à minha disposição viesse a mim naturalmente. Não fui eu quem determinou por quanto tempo aquilo seria feito, aconteceu por si só e parou depois de alguns dias. Na semana seguinte, quando revi essa pessoa, eu estava decidida a dizer-lhe que ela teria de ser internada, pois seu estado era preocupante. Fiquei surpresa ao vê-la um pouco melhor. É claro que sua depressão severa ainda persistia, mas foi como se aquilo que a puxava para o fundo tivesse se dissipado. Tenho certeza de que não foi apenas o trabalho que fizemos durante a sessão que mudou o quadro; o Ho'oponopono também teve uma grande participação.

Utilizei-o muitas vezes, e os resultados obtidos fizeram surgir em mim a vontade de compartilhar a forma como o aplico. Podemos praticá-lo de modo geral, mas se quisermos associar o Ho'oponopono a um verdadeiro processo de transformação, é necessário ter "um plano de trabalho". Foi com esse objetivo prático que escrevi este livro. O leitor encontrará um protocolo sobre os diferentes aspectos a serem abordados em função dos temas que podem levá-lo a utilizar o Ho'oponopono.

Foi um grande prazer escrever este livro, e o fiz com rapidez. Terminei-o no verão de 2011, mas não consegui me separar do manuscrito para apresentá-lo. Eu sempre utilizo o método em nível profissional, individualmente ou em grupo, e as pessoas fazem perguntas e querem aprender sobre ele. Então, um ano depois, resolvi tirar o manuscrito da gaveta e relê-lo... Antes de qualquer coisa, este é um livro para ser compartilhado. Espero que encontre nele a prática que você está buscando para avançar no seu processo.

INTRODUÇÃO

Ho'oponopono é uma técnica ancestral havaiana de cura. É praticada não apenas no Havaí, mas também na Polinésia Francesa, onde a prática ocorre de forma um pouco diferente.

O termo *Ho'oponopono* significa "corrigir um erro". Esse método baseia-se no princípio de que, segundo os antigos havaianos, os problemas (ou erros) têm origem em pensamentos poluídos pelas memórias dolorosas do passado. A prática do Ho'oponopono permite liberar a energia desses pensamentos que causam desordem e desequilíbrio. Ho'oponopono também significa "corrigir", "arrumar", "colocar na posição correta".

Trata-se de um método de resolução de problemas, cujo processo se realiza dentro de nós mesmos.

Em havaiano, *Ho'o* significa "ocasionar", e *Pono* é o conceito de bondade, retidão e exatidão.

Em sua origem, o princípio baseava-se na ideia de que, quando alguém criava alguma desordem, era como se tivesse incorporado uma energia mal canalizada e estivesse exprimindo o mal através dela.

Deliberava-se, então, com os anciãos. No método tradicional, um por vez praticava o Ho'oponopono diante da pessoa "responsável" pela desordem que, por sua vez, havia sido desencadeada pelo mal cometido, e diante de cada membro da comunidade.

Segundo o princípio, essa pessoa seria a catalisadora dessa energia, manifestada por seu ato, mas também encontrada em todo indivíduo. Essa energia passou por ela, mas poderia ter passado por qualquer outra pessoa da comunidade. Era essa a maneira que cada um tinha de reconhecer uma parte da responsabilidade no ato que cometera.

O método tradicional sofreu uma ligeira evolução no modo de aplicação. Foi simplificado por Morrnah Simeona, importante curandeira havaiana, que conservou a essência da sabedoria antiga.

Se esse método chegou até nós e se hoje é conhecido do grande público foi graças ao doutor Ihaleakala Hew Len, que por dez anos estudou com Simeona e fez um impressionante trabalho no Hospital Psiquiátrico do Havaí.

Da mesma forma, o Ho'oponopono também foi objeto de estudo na Universidade de Honolulu. Esse método foi utilizado de diversas maneiras por havaianos e não havaianos para a resolução de conflitos. Sua validade e utilidade foram reconhecidas. Em seu livro escrito a partir de seu relatório universitário, Victoria Shook demonstra a eficácia desse método aplicado por oito pessoas num trabalho social. A aplicação foi feita basicamente com famílias havaianas que tinham problemas relacionados às drogas.

O método foi utilizado para resolver conflitos familiares e coletivos. A ênfase foi dada ao impacto de uma concepção cultural diferente de saúde mental e à contribuição de uma tradição não ocidental para a sociedade ocidental.

O Ho'oponopono baseia-se em cinco pontos:
- A resolução é intrapessoal.
- Apenas nós e nosso Eu são envolvidos.
- Apenas nós realizamos a prática; as outras pessoas envolvidas no problema não precisam participar.
- O arrependimento do Eu.
- O perdão do Eu.

Tudo se passa dentro da pessoa que pratica o Ho'oponopono, pois a mudança só pode ocorrer nela, e não em outro indivíduo ou no ambiente, como muitas vezes esperamos que aconteça. Em seguida, essa mudança que se realiza em nós gera uma mudança externa.

Porém, antes de avançar no método, proponho a leitura de uma impressionante história do Ho'oponopono e a descoberta da cultura que está em sua origem.

BASES DA CULTURA NA QUAL O HO'OPONOPONO TEM ORIGEM

Aloha

Essa palavra havaiana tão conhecida, que costuma ser traduzida como "bom dia", "até logo" e "amor", é muito mais do que uma marca de simpatia: representa para os havaianos o pilar de sua cultura.

ALO refere-se à partilha, mas também significa "estar no momento presente".
OHA se traduz por alegria, afeição.
HA é o termo que significa energia vital, vida, sopro.

Um especialista em cultura havaiana fornece a seguinte definição:

"Venha, esteja vinculado e em harmonia consigo mesmo, com Deus e os homens. Seja honesto, paciente, humilde e benevolente para com toda forma de vida."

Aloha implica a noção de respeito, atenção, compaixão e benevolência. Liga o corpo, o coração e a alma à Fonte de Vida. Portanto, traduz-se como a partilha alegre da energia de vida no presente.

Essa cultura rica, que se apoia num saber ancestral ainda hoje marcado por presságios e superstições, transmite um forte vínculo com a natureza e com o Divino.

A Huna

A Huna é o saber esotérico dos havaianos, que remonta a tempos imemoriais. É uma vertente filosófica que significa "o segredo a ser compartilhado", "a sabedoria".

O Ho'oponopono é uma parte da Huna, que veicula o espírito de Aloha.

Além da atitude benevolente à qual o termo Aloha se refere, ele remete a uma maneira muito poderosa de resolver todo tipo de problema e atingir o objetivo mental ou físico desejado.

Conectar-se ao poder divino, compartilhar essa energia e utilizá-la no amor é o segredo para alcançar a felicidade, a prosperidade e o sucesso.

Essa sabedoria que permite transformar o saber interno em sucesso externo apoia-se num conjunto de regras e princípios que, se por um lado refere-se à tradição havaiana para atender às necessidades deste livro, por outro é uma sabedoria presente em todas as sociedades tradicionais. A Huna está inscrita numa corrente xamânica na qual a relação com o Universo continua sendo predominante.

O Ocidente afastou-se dessa sabedoria, passando a considerar apenas seu aspecto material. Com o Ho'oponopono e a utilização que dele tem sido feita, sobretudo num setor social, tem surgido a necessidade e a eficácia da espiritualidade para a resolução de conflitos.

Os dois aspectos são complementares, o lado material e o espiritual. A parte espiritual nos permite a conexão com nosso poder pessoal. Quando esse poder interior está em harmonia com as leis do Universo, nossa vida exterior o manifesta.

A Huna consiste em permitir que se restabeleça a ordem e a harmonia interiores com base em princípios de sabedoria. Quando essa harmonia interior está presente, nossa visão de mundo se altera, nossos atos são diferentes, nossas relações evoluem, nossa vida inteira evolui e, é claro, muda a forma como nos relacionamos com as outras pessoas e com o mundo.

O *lei* havaiano

A cultura havaiana e o *lei* são praticamente sinônimos. O *lei* é o tradicional colar de flores que todo visitante recebe. Sinal de boas-vindas e felicidade, o *lei* é, antes de qualquer coisa, um sinal de distinção. Quando entregue a um visitante, representa o respeito e a honra, uma doação de tempo daquele que o fabricou, pois é, por tradição, feito à mão. É sempre usado na sociedade havaiana e costuma acompanhar diplomas, votos, acordos, afeições, uniões e partidas. Também é usado na vida política, nas festas e nas cerimônias religiosas. Faz parte do cotidiano da vida havaiana.

Tradicionalmente, o *lei* é feito com flores recém-colhidas, mas também pode ser composto por conchas, grãos, flores secas, folhas, ossos ou plumas.

Cada *lei* tradicional comporta inúmeros símbolos relacionados ao vínculo entre o homem e a natureza, da qual a população havaiana é muito próxima. Como sinal de distinção, dependendo de sua complexidade, indicava que a pessoa a usá-lo era um chefe de alto nível hierárquico.

Alguns *leis* eram reservados a eventos importantes, como nascimento, casamento, morte, acordo de paz etc. Eram usados em cerimônias religiosas a fim de pedir proteção e prosperidade aos deuses. Nesse caso, cada elemento constituinte do colar possuía um significado relacionado ao evento celebrado.

Eis por que escolhi uma flor usada na confecção do *lei* para ressaltar os capítulos e pontos importantes desta obra. Ela é o símbolo do vínculo que o homem possui com a natureza e, por conseguinte, com a ordem cósmica. Nossa sociedade ocidental perdeu esse vínculo. Reconectar-se a essa ordem, a essa sabedoria do tempo, e reencontrar o caminho para a felicidade é o que você aprenderá ao descobrir como utilizar o Ho'oponopono.

A IMPRESSIONANTE HISTÓRIA DO HO'OPONOPONO NO HOSPITAL PSIQUIÁTRICO DO HAVAÍ

O doutor Ihaleakala Hew Len trabalhou por três anos no Hospital Psiquiátrico do Havaí. De 1984 a 1987, durante vinte horas por semana, ele prestava atendimento como psicólogo na unidade de vigilância máxima, onde criminosos estavam encarcerados.

Ao chegar ao local, em 1984, todas as celas de isolamento estavam ocupadas por pacientes violentos. Alguns tinham de ser algemados pelos pés e pelas mãos para não cometerem agressões contra os outros detentos ou funcionários.

Nenhuma tentativa de reabilitação havia sido posta em prática, e podia-se constatar que os funcionários faltavam muito ao serviço. O ambiente era degradado, o que tampouco ajudava a melhorar as relações.

Em 1987, quando da partida do doutor Hew Len, a situação era a seguinte: as celas de isolamento e as algemas já não eram utilizadas e os atos de violência eram muito raros, na maioria das vezes provinham de novos pacientes. Os internos tinham se tornado responsáveis por seus cuidados pessoais e pela organização do alojamento. Atividades esportivas e profissionais puderam ser postas em prática. Até mesmo as famílias começaram a visitar os detentos. O ambiente melhorou de maneira considerável; foram retomados os trabalhos de renovação dos espaços, que passaram a ser cuidados pelos pacientes e funcionários. Estes começaram a faltar bem menos ao trabalho e a ajudar os pacientes a assumir suas responsabilidades. Além disso, o tempo das internações naquela ala do hospital passou de alguns anos para poucos meses.

Estabeleceu-se o respeito entre as pessoas e as relações entre os funcionários e os pacientes melhoraram.

O que o doutor Hew Len fez com esses pacientes? Aplicou o método Ho'oponopono. Antes, durante e após suas passagens pela unidade, aplicou esse procedimento de *arrependimento, perdão e transmutação dos problemas*.

Não utilizou nenhuma terapia nem consulta com os pacientes. Não estudou nenhum caso junto com a equipe dos funcionários. Assumiu toda a responsabilidade de *purificar* o que havia no local e que lhe causava problemas. Fez isso estudando os casos e ocupando-se apenas das emoções que eram geradas nele naquele momento.

 *O procedimento baseia-se no fato de o indivíduo ver dentro de si o que é comum com o que se manifesta fora dele.*

À medida que purificava suas próprias emoções, elas se liberavam nos pacientes.

HO'OPONOPONO: UMA FILOSOFIA DE VIDA

Você retém os erros do mundo na sua alma, assim como eu os retenho na minha.*

Dr. I. Hew Len

O Ho'oponopono associa-se a uma concepção energética e a uma abordagem metafísica do universo. De modo concreto, permite apagar elementos negativos e situações problemáticas.

Temos o hábito de considerar que os problemas vêm de fora e de buscar nos outros a sua causa para tentar resolvê-los.

---

* Citação extraída do livro *Limite Zero*, de J. Vitale e I. Hew Len. [Publicado no Brasil em 2009 pela editora Rocco; p. 54. (N. da T.)]

No caso do Ho'oponopono, é em nós que vemos e resolvemos os problemas. Purificamos a parte que temos em comum com os outros. Às vezes, essa "comunidade" pode nos parecer evidente; em outras, bem menos, ou até nem um pouco evidente. Se nos considerarmos uma entidade à parte, de fato isso pode parecer difícil, mas se levarmos em conta que refletimos o mundo, que somos uma parte dele, o método ganha sentido.

Se purificarmos essas memórias em nós, purificaremos também o exterior.

Se por um lado o Ho'oponopono é um método de resolução de problemas que leva em conta nossos diferentes aspectos sob a perspectiva da psicologia, por outro é sobretudo um método espiritual que nos une à parte mais elevada de nós (Divino, Universo...) e é nesse nível que reside todo o seu poder.

O Ho'oponopono dá a cada um a liberdade de nomear como quiser essa parte em função de suas crenças.

Em vista de sua aplicação, é com o princípio de vida, o Divino, a parte mais elevada de nós, que vamos trabalhar.

A partir do conceito de Ho'oponopono, nós criamos nossa realidade. Evoluímos em certo ambiente e, na maioria das vezes, o que vivemos reforça nossas crenças. A partir disso, nosso campo de percepção é restrito, e a dinâmica é autossustentada. É como se estivéssemos presos numa roda — as memórias — que não para de girar e cuja trajetória não podemos modificar. Portanto, nossa concepção de mundo se constrói em referência à nossa experiência e não conseguimos ver outra saída. Não temos a capacidade eliminar o problema que se encontra em nós.

Reagimos como se estivéssemos sozinhos no mundo e não consideramos a interdependência de uns para com os outros nem a interconexão com o Universo.

O Ho'oponopono está inserido numa filosofia que leva em conta essa interconexão e essa interdependência. Permite restabelecer a ordem entre o Universo e o indivíduo e, por conseguinte, a ordem das pessoas entre si.

Nessa concepção, o problema vem das memórias equivocadas, que são reativadas no subconsciente. Manifestado pelas memórias, esse problema refere-se a todas as pessoas, mas é tratado em nível individual.

Para o Ho'oponopono, as memórias equivocadas que causam o problema são compartilhadas pelo paciente e pelo curandeiro.

AS QUATRO ETAPAS DO PROCESSO

O processo se configura em quatro fases.

A primeira fase trata de identificar o problema. Não há necessidade de lançar-se numa grande análise nem de procurar o porquê; basta identificar o problema. Por tradição, a sessão é aberta por uma oração.

Se for o caso, o problema reúne, ao mesmo tempo, a pessoa que o perpetrou e os outros. A transgressão da ordem estabelecida diz respeito às duas partes.

O segundo ponto importante a ser considerado é o fato de que a maioria dos problemas tem múltiplas dimensões que não compreendemos. Na resolução de conflitos em meio ao trabalho em grupo, cada parte é ouvida separadamente, e cada pessoa expressa seus pensamentos e sentimentos à assembleia.

O terceiro ponto é trabalhar diferentes aspectos até que a ordem e a harmonia sejam restabelecidas.

Por fim, a quarta fase, indispensável à resolução do conflito, é que tudo deve ser dissolvido de ambos os lados. O processo de perdão é, então, efetuado de maneira correta.

Ao final, agradecemos essa resolução e a sincera participação de cada um.

Essas quatro etapas são as que, por tradição, costumam ser utilizadas na resolução de conflitos; entretanto, é possível proceder de outra maneira sem que todas as partes estejam presentes, tal como fez o doutor Hew Len. É assim também que você o fará, pois as quatro etapas ainda estão em uso.

HO'OPONOPONO OU AS QUATRO FRASES

Algumas pessoas utilizam diretamente o termo havaiano Ho'oponopono. No entanto, a vibração dessa sonoridade pode não ser familiar a todos, e por isso costumamos utilizar as quatro frases seguintes:

Sinto muito.
Me perdoe.
Sou grato(a).
Eu te amo.

É uma espécie de mantra que nos une à nossa parte divina. Seu significado é o seguinte:

Sinto muito pelo que causou essa perturbação.
Me perdoe por isso, eu não sabia.

Sou grato(a) por ter me revelado esse meu aspecto.
Eu te amo pelo que é.

Também podemos traduzir da seguinte maneira:

Sinto muito por tê-lo julgado mal.
Me perdoe por não tê-lo compreendido.
Sou grato(a) por ter revelado isso em mim.
Eu te amo pelo que é.

Essa segunda "tradução" serve mais quando temos um problema com uma terceira pessoa.

Se por um lado me parece interessante conhecer o significado das frases quando enunciadas, por outro não é necessário pensar nele. O que produz efeito é a conexão que se faz com a parte divina e com a memória.

COMO PROCEDER
DE MANEIRA CONCRETA

Você pode praticar o Ho'oponopono:

- Sozinho, ou
- Com um terapeuta que utilize esse método em seu trabalho.

Em geral, os terapeutas que utilizam o Ho'oponopono o fazem ao final da sessão. É como procedo, pois assim é possível liberar as memórias em planos que não conseguimos atingir de outra forma. A parte consagrada ao Ho'oponopono é relativamente curta, durando no máximo dez minutos.

Proponho praticar essa abordagem e a explico à pessoa. Em seguida, peço-lhe para conectar-se mentalmente com a parte mais elevada dela mesma e repetir depois de mim cada uma das quatro frases. Eu mesma estou conectada à minha parte mais elevada e ao que se refere à pessoa para a qual praticamos o Ho'oponopono. Repetimos essas frases devagar, várias vezes, concentrados no que dizemos. No nível energético, sinto o que se passa e sei se é necessário continuar ou se podemos parar. De maneira geral, quando as memórias são dissolvidas, a pessoa sente que alguma coisa saiu e até mesmo que a emoção na qual se encontrava se dissipou.

Se você quiser utilizá-lo sozinho, veja no final do livro o protocolo de trabalho sobre diversos temas, a fim de aprimorar os diferentes aspectos dos problemas que deseja tratar.

Antes de qualquer coisa, escolha o problema a ser tratado e pense a respeito, seja de maneira geral, seja sob um aspecto particular. Conecte-se com a parte mais elevada de si mesmo e repita as quatro frases mentalmente ou em voz alta. Faça isso várias vezes seguidas, com tranquilidade, concentrando-se no que diz, sem perder a conexão com sua parte mais elevada. Respire com calma, sem bloquear a respiração, pois isso é importante para o nível de sua energia. Tente perceber o que se passa em você. Você vai sentir se deve continuar ou se pode parar.

Como a prática do Ho'oponopono é um processo energético, você logo sentirá quando ele chega ao fim — e, nesse caso, poderá parar de repetir as frases — ou então que ele acarreta memórias, umas após as outras, como nós que se desfazem — nesse caso, você continua enquanto sentir necessidade. Não projete nada de mental para tentar analisar. Se pensamentos se apresentarem, quer pareçam ligados ao problema ou não, não tem importância; continue.

Se parar sem ter finalizado a prática, você pode retomá-la posteriormente.

No que se refere ao processo, a percepção será diferente, dependendo dos momentos e das pessoas envolvidas.

Por isso, quando praticar sozinho, você poderá optar por duas formas diferentes de fazê-lo, que chamo de "maneira direta" e "maneira indireta".

- A direta consiste em concentrar-se no problema e nos aspectos dele que você deseja trabalhar ao utilizar o Ho'oponopono. Escolha, por exemplo, um momento específico, sente-se e inicie sua prática. A duração pode variar.
- A maneira indireta consiste em pensar em alguma coisa pela qual você deseja realizar o Ho'oponopono. Também é possível praticá-lo caminhando na rua ou enquanto faz outra coisa. Conecte-se à sua parte mais elevada, leve o "problema" para o seu campo de consciência, pensando nele com rapidez, e repita as frases mentalmente ou em voz alta, se o local permitir.

O mais importante é a conexão feita; quanto ao restante, o processo se realiza sozinho.

Assim, você poderá utilizar o Ho'oponopono para um problema que o afeta diretamente ou não, mas do qual, de certo modo, você é testemunha. Pois, sendo testemunha, há uma ressonância em alguma parte. Nem que seja pelo fato de que talvez você esteja no caminho dessa pessoa e, segundo o princípio desse método de cura espiritual, seja responsável por ela.

Por responsabilidade entende-se o fato de que, por sua compaixão, você pode se conectar a um espaço muito mais elevado, que não é de sua competência nem de sua vontade, para liberar as memórias.

Tomemos o seguinte exemplo: você está na rua e vê um sem-teto. Você não tem nenhuma ligação com ele, mas pode praticar o Ho'oponopono para essa situação que encontra pelo caminho.

Acontece que, num determinado momento de sua vida essa pessoa que lhe é desconhecida cruza seu caminho.

Vou mais longe nessa reflexão. Essa situação é uma das realidades que encontramos no nosso cotidiano. Você nada sabe da história dessa pessoa, mas, na filosofia do Ho'oponopono, pode assumir a responsabilidade de liberar as memórias. Há necessariamente nessa história que você não conhece uma ou mais memórias que, em níveis imperceptíveis, entram em ressonância com você. Ter consciência de que tudo é interdependente é assumir a responsabilidade. Como será demonstrado mais adiante em vários trechos, vale notar que não se trata de ter a intenção de mudar alguma coisa.

ALINHAMENTO DO NOSSO EU COM NOSSO SER PROFUNDO

Como as memórias agem — Processo de perdão e reajuste

> *É como se fizéssemos parte de uma grande sinfonia. Cada um de nós toca um instrumento. Eu também tenho um. Você também tem o seu. Nenhum é igual ao outro. Para que o concerto seja tocado e todos o apreciem, eles precisam tocar o instrumento deles e não o de outra pessoa. Nós nos metemos em apuros quando não pegamos o nosso instrumento ou achamos que o de outra pessoa é melhor. Isso é a memória.**
>
> Dr. I. Hew Len

---

* Citação extraída do livro *Limite Zero*, de J. Vitale e I. Hew Len. [Na edição brasileira, p. 70. (N. da T.)]

As memórias vêm do nosso subconsciente. Manifestam-se sob a forma de problemas repetitivos, seja no nível físico, relacional, material etc.

Nossa parte consciente vê apenas a face revelada do problema contra o qual tenta reagir.

Não capta o que está além. Nosso intelecto consegue compreender apenas uma ínfima parte.

O Ho'oponopono nos permite entrar em conexão com a parte divina* em nós. É nesse espaço interno que a memória repetida se "dissolve".

Não temos nenhuma intenção nem expectativa de colocá-la em prática, apenas de estar na abertura e na presença do acontecimento.

São as memórias que bloqueiam nosso fluxo de energia, e é necessário purificá-las para reencontrar a circulação dessa energia que se exprimirá como harmonia em nossa vida.

O Ho'oponopono é uma ferramenta de purificação, liberação e anulação de nossas memórias. Trata-se de um instrumento de fácil utilização, mas que nem por isso deixa de ser poderoso.

Ao serem purificadas, essas memórias, que são bloqueios e limitações, cedem lugar a um fluxo energético diferente. Essas memórias são programas que nos pertencem, mas que compartilhamos com outras pes-

---

* Utilizo a expressão "parte divina" por comodidade, sem nenhuma referência à religião. Cada um pode aplicar o termo que lhe convier (Si-Mesmo, Essência etc.).

> *soas. Em níveis dos quais não temos consciência, a purificação é uma desprogramação que cria um novo fluxo de energia, que nos reajusta com nossa vibração inicial.*

Em psicologia junguiana, eu compararia esse princípio com os arquétipos, que podemos considerar como cargas energéticas que nos ativam.

Com o Ho'oponopono, ultrapassamos em ampla escala o aspecto psicológico para remontar à origem.

O processo de perdão se realiza no nosso nível.

Por exemplo, quando estamos em conflito com nosso cônjuge, não é a ele que vamos pedir perdão, mas à nossa parte divina.

Podemos dizer que esse conflito exprime uma desordem que, na maioria das vezes e à nossa revelia, afeta nossa parte divina. Ao pedirmos perdão a essa parte pela desordem causada (sofrimento, raiva...), permitimos que haja um reajuste em nosso ser. As memórias ligadas a esse conflito — ou parte delas — se dissolvem, e passamos a perceber a situação de maneira diferente — ou então ela se modifica. Como o "ponto de conexão" do conflito, ou seja, a memória, foi dissolvido, sua expressão já não tem como ocorrer.

Às vezes, o processo de reajuste é perceptível de maneira muito rápida em nossa realidade.

A responsabilidade

*Não é culpa sua, mas é sua responsabilidade.**

Dr. Joe Vitale

Numa situação em que algo nos contraria, muitas vezes censuramos os outros, o lado de fora... A noção de responsabilidade que adotamos reside no fato de que tudo faz parte de nossa experiência. Ao repetir a frase, não nos dirigimos a alguém, e sim ao Divino em nós, e a ideia é liberar a energia comum.

Não podemos fazê-lo para obter algo, pois nesse caso ainda estaríamos numa memória. Essas frases existem para nos purificar, e não para que sejamos perdoados pela Divindade. Purificamos os programas internos que nos impedem de alcançar o estado puro de amor.

As memórias são programas, espécies de arquétipos que circulam no mundo e aos quais estamos conectados. Segundo o princípio, quando nos damos conta de que alguém tem essas memórias é porque nós também as temos. O lado de fora age como nosso espelho.

Nossa responsabilidade também reside na escolha de purificar essas memórias.

Nesse trabalho de purificação, limpamos o programa comum. Pouco importa o que precisa ser limpo; a purificação se fará. Não temos nenhuma intenção a exprimir.

---

* Citação extraída do livro *Limite Zero*, de J. Vitale e I. Hew Len. [Na edição brasileira, p. 81. (N. da T.)]

Às vezes, confundimos responsabilidade e culpa. São duas coisas bem diferentes. Aqui, a primeira consiste em assumir a responsabilidade pelo elemento desencadeador. O problema não sou eu nem o outro, e sim o elemento desencadeador, cuja responsabilidade estamos prontos a assumir. É nesse nível que vamos praticar. O que muitas vezes incomoda é o fato de que aquilo que pensamos ser o elemento desencadeador talvez não o seja; porém, como a ação do Ho'oponopono se dirige ao local certo, não há risco de nos enganarmos. Com frequência, fazemos uma ideia do que cria a desordem ou parte dela, e vemos a situação de maneira analítica, parcial e mental. Em outras palavras, tentamos compreender para agir. O Ho'oponopono não entra nessas considerações; estamos além da mente e da consciência. Portanto, assumir a responsabilidade pelo elemento desencadeador significa que, seja qual for a situação, e ainda que você pense que este ou aquele fator a tenha desencadeado, tudo isso está em determinado plano. Esse plano é aquele ao qual você, seu Eu, tem acesso. O Ho'oponopono lhe permitirá conectar-se com a Fonte e, portanto, com o elemento desencadeador, muito além do que você imagina.

Assumir a responsabilidade significa aceitar a ressonância em si, seja ela qual for.

Deixamos à sombra toda uma parte de nós, seja ela uma parte que ignoramos, seja ela uma parte que rejeitamos — e que muitas vezes é a mesma. Só entramos em contato com ela por intermédio dos outros e, em particular, de algo que nos incomoda e contra o qual reagimos. O trabalho com o Ho'oponopono considera o mundo do qual fazemos parte como um vasto holograma. Segundo o princípio holográfico, tudo está em tudo; portanto, por extensão, tudo o que está no outro está em nós. É nesse nível que o princípio da responsabilidade é ativado.

A responsabilidade está ao mesmo tempo em nossos pensamentos, em nossos atos e no que se produz em nossa vida.

Assumir a responsabilidade significa aceitar e amar essas manifestações. É a partir disso que a purificação e a cura podem ser realizadas.

Amar essas manifestações não significa sentir prazer nem responder por um ato. Trata-se de outro nível, mais sutil do que o da aceitação. Quando nos encontramos numa situação desconfortável que nos causa medo, raiva, insegurança ou que perturba nossa ordem estabelecida, parte de nós sofre. Se pudermos começar por aceitar o que existe, seremos ainda mais capazes de amar, ou seja, dar atenção e amor a essa parte que está desestabilizada em nós. Pois não se esqueça de que sempre que você entra em conflito com uma situação, também o faz consigo mesmo. Sempre que, diante de uma dificuldade, você deseja que ela se resolva o mais rápido possível ou que nunca tivesse ocorrido, é porque, entre outras coisas, uma parte sua está sofrendo e você se rebela. Comece por reconhecer essa parte, seu sofrimento, e por amar essa parte que sofre e que não é tão perfeita como você gostaria.

Essa noção de responsabilidade leva a uma atitude diferente daquela à qual estamos habituados, sobretudo em nível interpessoal. Na maioria das vezes, quando ficamos sabendo de alguma coisa, ora não reagimos, ora emitimos um julgamento, ora damos um conselho. Com o Ho'oponopono, a ideia é que, quando uma pessoa verbaliza alguma coisa, ela compartilha aquilo conosco e sua memória torna-se nossa memória. Então, eu me liberto dessa memória. Ao fazer isso, também liberto a outra pessoa.

Não o faço por ele, mas porque assumo a responsabilidade do que está em meu campo.

Do mesmo modo, ao assistir a uma cena (uma briga, ou quando encontra alguém embriagado), você pode praticar o Ho'oponopono.

COMO ESSA PURIFICAÇÃO SE MANIFESTA?

O objetivo da vida é retornar ao amor a cada momento. Para atender a esse propósito, a pessoa precisa reconhecer que é completamente responsável por criar a sua vida do jeito como ela é. Ela precisa compreender que são os seus pensamentos que criam a sua vida da maneira como ela é a cada momento. Os problemas não são as pessoas, os lugares nem as situações, mas sim os pensamentos a respeito deles. A pessoa precisa aceitar a ideia de que não existe o "lá fora".*

Dr. I. Hew Len

---

* Citação extraída do livro *Limite Zero*, de J. Vitale e I. Hew Len. [Na edição brasileira, p. 63. (N. da T.)]

Conforme já evocamos, ao "fazermos uma faxina" em nosso interior, isso se manifesta fora de nós.

Porém, como não existe nenhuma intenção, apenas o processo de purificação, não podemos prever qual será o resultado. Seja qual for, a Divindade (o Universo) responde da maneira mais apropriada para todos e no melhor momento.

Sempre temos a escolha de purificar ou não nossas memórias.

Com frequência, o que atribuímos ao outro é a trave que temos no olho. É com base nessa trave, que tanto obscurece nosso campo de consciência, que realizaremos a purificação.

Nesse processo, convido o leitor a se lembrar de princípios importantes:

- A responsabilidade por um problema não é o mesmo que culpa — se o processo se basear no princípio da responsabilidade, é porque você tem a escolha de purificar essa memória ou não. Isso é diferente da culpa. Não se esqueça de que a responsabilidade é uma questão de ressonância dentro de nós.
- Você não sabe onde está o problema — é em nós que a mudança acontece, e não no outro. Confie em sua Divindade interior e deixe a mente de lado.
- Você pode trabalhar com base num modo que chamo de "direto" ou no modo "indireto". O direto corresponde a um aspecto particular que você trabalhará. O indireto se baseia numa situação mais genérica.

Poderíamos dizer que a purificação desses programas e dessas memórias é um retorno à Fonte, onde a energia do nosso ser pode circular com mais liberdade e prosseguir no sentido inicial.

Quando enxergamos o que nos incomoda em nossa vida, fica "fácil" fazer a limpeza. Na verdade, não é bem assim! Quando detestamos um defeito, não é fácil fazê-lo desaparecer, pois nos encontramos diante de múltiplas resistências internas das quais não temos consciência.

O que fazemos na realidade? Rejeitamos esse aspecto e até o negamos em alguns casos. Quanto mais o rejeitamos, mais criamos para nós mesmos um estado de tensão. Agindo assim, teremos dificuldade em praticar o Ho'oponopono, simplesmente porque seria como "aceitar" esse problema.

Portanto, parece necessário especificar alguns pontos para que você possa se beneficiar plenamente dessa maravilhosa ferramenta que é o Ho'oponopono.

Aceitar o problema não significa: "Vou viver com isso por toda a minha vida, pois nunca mudará". Aceitar é reconhecer do que se trata, reconhecer que existe, está presente e me incomoda. E, de acordo com o princípio do Ho'oponopono, compreender que é uma memória, um programa.

Por que e como isso existe? Pouco importa. O importante é que temos as quatro frases para enfrentá-lo.

Quando temos um problema com outra pessoa, com o exterior, muitas vezes tendemos a considerar que ele vem desse outro. As técnicas de comunicação nos lembram que, numa relação, seja ela qual for, há vários protagonistas. Portanto, você é um dos protagonistas desse conflito com outra pessoa. A questão não é saber se você tem ou não razão, e sim ver que existe um conflito que o afeta. É nesse ponto que agirá o Ho'oponopono, nessa memória, nesse programa, que por certo vai muito além do que você imagina, daquilo de que tem consciência.

Às vezes será necessário praticá-lo por um bom tempo, pois há muitas memórias que podem ter diferentes aspectos.

Por exemplo, certo dia, ao entrar no carro, comecei a praticá-lo por alguma razão, e tudo se encadeou. Já não sabia direito de onde tinha partido — de resto, pouco importa — e continuei por cerca de 45 minutos seguidos.

Às vezes, pode ser por coisas insignificantes que aparecem como pensamentos e lembranças que não têm necessariamente a ver (ou têm, mas de maneira inconsciente) com seu ponto de partida.

Pelo que constato e percebo quando o faço para mim, é como um espaço interior que se abre e uma "ramificação" num espaço superior, que permite essa purificação. Tomo a imagem dos casos, que vão aparecendo aos poucos. Quanto mais purifico, mais outras coisas vêm à superfície, com tranquilidade.

Deve-se fazer o Ho'oponopono de maneira consciente ou "mecânica"?

As duas maneiras de proceder são possíveis. Confie no que está sentindo. Em geral, faço-o de modo consciente quando estou trabalhando no que chamo de "grande caso". Nessa situação hipotética, pratico-o em todos os aspectos que me aparecem.

Quando praticado de modo mais mecânico, ele é repetido como um mantra. Uma conexão ocorre e um trabalho se realiza, mas talvez tenhamos menos consciência do seu alcance.

Às vezes, o alcance e a eficácia do Ho'oponopono são sutis. Eles nem sempre são imediatos, pois, com frequência, vários aspectos estão ligados. Porém, ao cabo de certo tempo, percebemos que já não reagimos da mesma maneira, que já não pensamos no que se passou, ou o contrário. Algo tornou a entrar na ordem, e sentimos certa indiferença. Algumas pessoas se sentem mais leves.

Quando o utilizo em mim, vejo os efeitos. Num primeiro momento, um pouco como uma meditação, sinto meu espírito livre, apaziguado, e não penso mais no problema. Deixo o barco correr. Num segundo momento, em função do que serviu de objeto à minha prática, vejo a mudança em minha maneira de reagir. Também já pude verificar que, quando se trata de um conflito, ele se neutraliza.

Percebi igualmente que, em meu íntimo, as coisas seguiam seu curso e uma alegria interior se instalava; sentia uma visão muito mais ampla, uma gratidão para com a vida, uma confiança e o coração aberto. Alguma coisa estava mais leve na profundidade do meu ser. Foi um verdadeiro retorno à espiritualidade, a valores que eu tinha enterrado havia algum tempo e que voltavam à superfície.

Para mim, o Ho'oponopono é um trabalho espiritual profundo, que apazigua e abre o espírito, sem que seja necessário aderir a quaisquer crenças. É como se entrássemos em contato com a profundidade da vida, com o presente, com a profundidade do ser, e o vivêssemos com mais consciência e intensidade.

Não há ritual nesse processo, nem crença particular, nem solicitação a fazer. Portanto, não temos de nos perguntar se seremos ouvidos ou não. Trata-se do momento presente, de um problema, de um pensamento e da repetição das quatro frases. O tempo pode ser muito curto ou muito longo, pouco importa.

Quando pratico o Ho'oponopono com as pessoas, em geral o faço ao final de uma sessão de psicologia energética. Todos os aspectos já foram trabalhados, e retomo os elementos que me parecem necessários, em nível espiritual, para praticar o Ho'oponopono. Isso ocorre com muita rapidez e normalmente há entre um e três aspectos a serem tratados. Nomeio apenas o elemento e iniciamos a prática, que dura dois minutos. Como percebo as energias e os diferentes campos sutis, sinto a conexão com a memória e o momento em que se dá o desprendimento. A pessoa o percebe, seja porque uma emoção de libertação se apresenta, seja porque sente uma liberdade interna.

Em outras ocasiões, proponho esse trabalho fora da sessão, e o poder da conexão que sinto também se faz presente.

Na prática do Ho'oponopono, a atenção é atraída para o fato de que, no nível do consciente e do inconsciente (chamado de subconsciente), as experiências são vividas através do "filtro" das memórias. Em outros termos, são as memórias que modificam a experiência que vivemos. Elas fazem o papel de uma espécie de tampão, de algo que cria uma opacidade entre nossa inteligência superior (ou inteligência divina) e nossa realidade material. Dão colorido à nossa vivência. É necessário purificar essas memórias a fim de reencontrar o vínculo com essa parte do nosso ser. É como se limpássemos aos poucos uma vidraça suja, que vai se tornando cada vez mais transparente e nos permite enxergar a paisagem de outra forma e nos orientar de maneira diferente. Uma vez purificadas as memórias, podemos nos encontrar num espaço criador livre, e o impacto dessas memórias sobre nossa vida é modificado.

REENCONTRAR O CURSO DA VIDA COM O HO'OPONOPONO

O Ho'oponopono permite purificar os pensamentos e ir além deles. É como se arrancássemos ervas daninhas de nós mesmos. Desobstruímos um território poluído. Quando o pratico, tenho a sensação de que outro espaço-tempo se abre e permite esse trabalho de desprogramação. Há mais leveza, mais possibilidades que se abrem para nós. Isso cria espaço para semear outras coisas e permitir que surja o que nos corresponde de fato. É uma espécie de inspiração. Entramos num estado que eu qualificaria de "criação" e "criatividade". Trata-se, ao mesmo tempo, de um desenvolvimento de nossa intuição, das sincronicidades que se apresentam, e essa fluidez nos leva a um sentido de maior harmonia interna. Como se seguíssemos por fim a corrente, em vez de remar em sentido contrário. Quando nos viramos, dizemos: "Nossa! Por onde foi que passei para atravessar tudo isso?". Atrás de nós, vemos a paisagem acidentada, superada com naturalidade, como um obstáculo apagado.

Essa purificação dá a impressão de que nos desfazemos da pele e dos véus em que estávamos presos. Esse processo se faz sem dor.

Muitas vezes, lutamos com o movimento da vida. Tentamos controlá-la para evitar o sofrimento e obter algumas coisas... enquanto o movimento da vida seria aceitá-la, e não controlá-la. No entanto, cada um de nós há de convir que é mais fácil falar do que fazer. O Ho'oponopono nos oferece a oportunidade de seguir o curso e purificar continuamente o que sobrevém. É um ato de fé na vida. Às vezes esperamos que as coisas se arranjem, mas como isso é possível enquanto estamos nas memórias?

> *O Ho'oponopono é um método que permite a cada um purificar suas memórias celulares e espirituais e remontar à Fonte.*

Esse processo é tão simples que chega a ser surpreendente e inacreditável. No início, ouvi a história do doutor Hew Len sem formar uma opinião particular, mas com algo em meu íntimo sendo interpelado.

Não apliquei o método de modo algum. Tranquilizei-me substituindo as quatro frases pelo mantra ao qual já estava acostumada. Não tinha nada a ver, mas assim minha mente e meu ego se sentiam mais seguros. Algumas semanas mais tarde, conversei por telefone com uma amiga, que me perguntou se eu estava praticando o Ho'oponopono. Percebi que tinha me esquecido dele. Ela me aconselhou a praticá-lo. Procurei minhas anotações e o pratiquei para "encerrar" uma sessão de psicologia energética. Alguma coisa muito poderosa aconteceu, como uma espécie de liberação. Refiz o processo até ele se integrar rapidamente a meu cotidiano.

Experimentei-o com coisas simples e insignificantes, pequenas contrariedades, e utilizei-o em "casos importantes", que purifiquei. Falei a respeito com pessoas próximas a mim, e elas também o aplicaram. Depois, aos poucos, ousei integrá-lo em minha prática de acompanhamento terapêutico de diferentes maneiras.

As pessoas às quais expliquei o processo e que o puseram em prática perceberam seu poder e também o utilizaram em "casos importantes".

Entendo muito bem que as pessoas podem ser céticas. Portanto, se esse é seu caso, tente o processo em relação a seu ceticismo. Essa será sua primeira prática antes dos exercícios propostos para ajudá-lo a tirar o melhor proveito do Ho'oponopono.

O HO'OPONOPONO E OS TEMPOS EM QUE VIVEMOS

Interroguei-me diante desse método, que não levei a sério a princípio. Depois, como logo vi o que acontecia tanto comigo quanto com as pessoas que eu acompanhava, fiquei muito atenta ao que se passava. Era visível que algo estava ocorrendo. Algo em que a concepção junguiana, especialmente os arquétipos, e elementos relacionados ao budismo, como o karma, pareciam abordar pontos comuns com esse método de cura ancestral havaiano. Entretanto, a simplicidade do Ho'oponopono quanto a seus resultados me pareceu surpreendente e inacreditável.

Com toda a humildade, tenho a impressão de que, nesses tempos muito carregados em nível mundial, o Ho'oponopono é um instrumento simples de purificação.

A filosofia do yoga fala de Kali Yuga ou era de ferro. Um período de caos e dificuldades que a humanidade deveria atravessar antes que uma nova era de ouro surgisse e a ordem fosse restabelecida. No entanto, segundo os textos hindus e budistas, esse período difícil seria propício para se obter a liberação. Trata-se da libertação do nosso karma por um trabalho de consciência, tal como descrito pelo caminho do yoga. Especifico que o termo yoga significa "união", união de corpo e espírito, e que aqui deve ser entendido no sentido filosófico, e não, como o consideramos, como técnica de bem-estar.

A impressão que tenho, através de minhas experiências, é que estamos num momento em que a consciência se encontra num obscurecimento, apesar dos progressos tecnológicos. Aliás, pergunto-me se esses progressos tecnológicos, sobretudo no nível das possibilidades que a internet bem utilizada oferece, não são as primícias de uma modificação do funcionamento do ser humano no nível interior e, em particular, no nível energético.

No entanto, ainda estamos presos em nossas emoções destrutivas, naquilo que podemos ver como uma parte da sombra. Em nível mundial, o que constatamos ao nosso redor parece ser apenas a manifestação do que somos internamente. A mudança só pode ser realizada por cada um de nós e em cada um de nós. Porém, não podemos pedir para que todo mundo tenha a mesma consciência. Quanto mais agirmos em nosso nível, mais haverá um fenômeno de ressonância. Não teria essa sombra de exprimir-se para que a atravessássemos a fim de alcançar a luz? Todavia, sua travessia não se faz sem dor, pelo menos não no momento atual. Chegamos ao final de um processo, de um ciclo, para que se efetue uma mudança de direção rumo à luz. No nível da matéria, é necessário limpá-la e aliviá-la, e esse trabalho só pode ser feito com uma purificação das memórias celulares em nível individual. Com frequência, paramos diante do aspecto psíquico das coisas. Para mim, parece existir outro nível (de que fala a física quântica), que é cada vez mais evidente no nível do indivíduo. É nele que o trabalho das memórias celulares — que chamarei de "memórias espirituais" — deve ser feito.

Dar um sentido à vida me parece necessário e importante, mas passar anos repisando o porquê do como, a fim de "compreender" o que não está bom, não vai nos libertar. Parece-me importante agir e, para que o movimento se realize, libertarmo-nos de nossos entraves e problemas *em suas raízes espirituais*.

Ouso hoje fazer essas propostas com um recuo de anos de trabalho terapêutico no caminho analítico e psicocorporal, bem como de uma formação junguiana e psicocorporal. Não me arrependo desses anos nem dessa formação, pois eles formam a base em que me apoio, mas constato que falta alguma coisa, que parece ser esse trabalho de libertação das memórias espirituais, incompatível com o trabalho analítico.

Essa abordagem espiritual e essa percepção dos diferentes planos sutis sempre estiveram presentes e sempre foram muito importantes para mim; no entanto, durante anos, não ousei falar a respeito disso no trabalho que apresentei em minhas obras, preferindo uma orientação mais racional.

Ter podido me formar, durante várias décadas, em caminhos mais clássicos também me permitiu fortalecer esse trabalho sutil e dar-lhe corpo, pois, volto a dizer, esses caminhos não são incompatíveis. Quanto mais queremos subir nos planos sutis, mais temos de descer à matéria e nos enraizar. Se estivermos muito no alto, nos desconectamos; se estivermos muito presos à matéria, também nos desconectamos, mas de outro modo.

O mundo ocidental apresenta, antes, uma tendência material e busca no Oriente sua outra polaridade por meio dos ensinamentos espirituais. O Oriente possui sua sabedoria mas não conseguiu resolver seu lado material. É como se cada parte tivesse escolhido uma característica, e não o conjunto.

Acrescento à minha reflexão que é necessário constatar, pelo menos na França, a crescente demanda do público por um alívio rápido para suas dificuldades. Se não existe varinha de condão, essa constatação certamente me parece revelar a necessidade — urgente, eu ousaria dizer — de um trabalho nesses planos. Ao pôr de lado meus óculos de psicoterapeuta e colocar no lugar os óculos mais espirituais para explicar essa constatação, pergunto-me se, em outros níveis, em termos de evolução do mundo, essa não seria uma necessidade incontornável. A física quântica explica os fenômenos energéticos, fenômenos esses que o yoga, o tai-chi, o qi gong e as artes marciais conhecem e utilizam há milhares de anos, mas que ainda são considerados marginais, esotéricos etc. Creio que estamos entrando numa era em que tudo o que é da ordem do sutil, especialmente em termos de energia, se tornará cada vez mais conhecido, utilizado e desenvolvido. A psicologia energética e as técnicas de cura espirituais já são as belas primícias que permitem levar ao conhecimento de um grande número de pessoas a existência de campos vibratórios e sua utilização. Essas ferramentas, sobretudo a psicologia energética, são consideradas uma novidade, mas veiculam princípios tradicionais, e me parece importante não esquecer esse fato. O mundo não é diferente de antes no que se refere ao seu funcionamento. O que muda é a consciência que temos dele. E essa consciência passa pela "descoberta" de técnicas que, às vezes, se tornam moda. Porém, como utilizá-las? Serviriam a uma verdadeira mudança interior? Isso depende apenas de nós e do que fazemos com elas.

Seja em nível pessoal, familiar, nas empresas, seja em nível de governo ou da natureza, percebemos um mal-estar, uma perturbação. Tudo está unido, é o princípio da interdependência, muito conhecido do budismo.

O Ho'oponopono nos oferece uma oportunidade de agir em nosso nível, de maneira simples, em ligação com nossa essência divina, para o nosso bem e para o bem dos outros. Depois de passar muitos anos tentando mudar os outros, temos ao alcance da mão um método simples e poderoso para mudar e nos alinharmos com nossa divindade. A lógica parece derivar disso. Quanto mais purificarmos nossas memórias, tanto mais nos perdoaremos, aceitaremos os outros, compreenderemos que as diferenças são riquezas e permitiremos o surgimento de outro espaço.

Não é permanecendo na opacidade que faremos surgir a luz em outro lugar. Ao contrário, se apertarmos o interruptor, a luz brilhará em nós e em outro lugar.

MODIFICAR NOSSO CAMPO VIBRATÓRIO E ESCOLHER NOSSA VIDA

Acima de tudo, existem estes fenômenos energéticos prodigiosos, ainda mais incompreensíveis: a vida e o pensamento.

Charles-Noël Martin

Em energética, fala-se de estados e índices vibratórios. Quanto mais nos situamos nos planos espirituais, mais rápida é a vibração, até o momento em que atingimos uma espécie de zona quase imóvel.

Nesse trabalho de purificação das memórias graças ao Ho'oponopono, há outro de ampliação do nosso espaço interior, um aumento da vibração positiva.

Internamente, deixa-se que as coisas sigam seu curso natural, e a confiança aumenta. Quanto mais praticamos esse trabalho de purificação de nossas memórias, mais entramos em contato com esse espaço espiritual em nós e podemos nos conscientizar de que temos a escolha de nossa vida. Essa escolha reside, sobretudo, na maneira como enfrentamos o que se passa em nossa vida.

> *Muitas vezes, confundimos escolha e controle. O controle nos tensiona, nos limita. A escolha nos abre para um compromisso e nos tira do estado de vítima. Tornamo-nos, então, responsáveis por nossa vida.*

Nos dias de hoje, a noção de compromisso é muito difícil. Para muitas pessoas, comprometer-se significa perder a liberdade. Preferimos não nos comprometer por medo do risco. Assim, vivemos num campo de funcionamento restrito. Porém, o primeiro compromisso a ser cumprido é em relação a si mesmo e implica uma escolha.

Escolher nossa vida significa realizar um ato de compromisso e respeito consigo mesmo e com a vida que nos anima.

Quando não nos comprometemos conosco, avançamos contra a corrente do movimento da vida. Tornamos o outro, o exterior, responsável por aquilo que nos acontece e permanecemos em nossa impotência, ou seja, na impossibilidade de agir. É o que ocorre quando funcionamos em nossas memórias. Fazer uma escolha na vida significa endireitar-se, alinhar-se em sua verticalidade, conectar-se com seu poder interior em todos os níveis. Fazer uma escolha na vida nos possibilita a união com nossa parte divina. Desse modo, tornamo-nos responsáveis por nossa vida, honramos a vida que corre em nós. Podemos observar os acontecimentos de outra forma, dar-lhes um sentido. Contatamos nossa possibilidade de ação. Começamos a ver mudanças, como se véus caíssem de nossos olhos. O mundo ao nosso redor muda porque mudamos nosso ponto de vista. O espaço exterior se alinha com nosso espaço interior. Isso sempre aconteceu, mas, como mudamos nosso nível vibratório, deixando cair os véus, criamos uma conexão exterior diferente.

Esses véus são todos os nossos pensamentos, nossas emoções, nossos sentimentos, nossas crenças, nossas experiências e nossos sofrimentos. Todo esse conjunto que o Ho'oponopono chama de "memórias" e que nos obscurece. O Ho'oponopono nos oferece essa liberdade de "dissolver" essas memórias.

Quando queremos controlar nossa vida, ficamos encerrados em memórias, que podem ser pessoais, familiares, culturais ou kármicas. Com o Ho'oponopono, estabelecemos uma conexão com nossa parte mais elevada, ela própria ligada à Fonte, e a energia se fluidifica. Graças à prática constante do Ho'oponopono, percebemos essa conexão com o Divino em dois níveis, através dos resultados que observamos e pelo estado interior que se cria. Aos poucos, encontramos o local para a gratidão.

Pela prática do Ho'oponopono, conectamo-nos com o Divino, ou a parte mais elevada da manifestação da vida em nós. Por minha experiência, traduzo-o como um ponto em que tudo é, ao mesmo tempo, condensado e vazio. A conexão com esse espaço em seu "aspecto condensado" é uma vibração. Conforme evoquei anteriormente quando me referi à psicologia junguiana, farei uma analogia com a noção de arquétipo. Um arquétipo pode ser considerado uma carga energética. Em termos de energia, nossas memórias vibram nesse mesmo espaço. É como uma primeira etapa, na qual entramos em contato com essa zona. Em seguida, é como se, além do encontro com essa zona, houvesse um acesso a outro espaço, onde se realiza uma desprogramação e um realinhamento em nossa vibração original de vida, no si mesmo. Essa energia "purificada" volta para nós e é o que percebemos por meio das experiências que se tornam diferentes. Graças ao Ho'oponopono, mantemos perpetuamente essa troca, essa purificação e essa atenuação.

As sociedades tradicionais e as técnicas ancestrais, como o yoga, mencionaram esses estados vibratórios e apresentaram uma explicação para esses diferentes planos por meio de textos tradicionais. Também falam da evolução dos tempos e da humanidade. Dois pesquisadores, Mère e Sri Aurobindo, consagraram a vida a trabalhar no que chamam de "mente das células". Seus trabalhos são conhecidos graças ao yoga integral. Trata-se de descer da consciência ao campo mais profundo do ser humano, à célula, ao ponto mais distante dentro dela, para encontrar o espaço além da matéria.

A partir disso, esse trabalho de consciência visa transformar a matéria.

Os planos sutis, que chamaremos de "energéticos", manifestam-se na matéria, que é a energia condensada. Não há diferença entre uma mesa e nós. Somos constituídos pelos mesmos átomos e pela mesma energia, mas a organização e a densidade são diferentes. Os planos sutis têm uma vibração extremamente rápida, enquanto o plano mais material possui uma vibração muito mais lenta. Além da densidade, há outro aspecto em nível vibratório, que comparo a um comprimento de onda.

Tomemos o exemplo de uma estação de rádio. Para captar uma estação, é preciso conectar-se à frequência correta, que possui um comprimento de onda.

Em energética, ocorre o mesmo. Se você estiver conectado a certa vibração, tudo o que se passar em sua vida corresponderá a essa vibração, a essa frequência. As memórias são frequências às quais estamos conectados e cujo impacto experimentamos. Essa conexão se dá ao mesmo tempo em nível pessoal, familiar e até mesmo kármico, pois, em termos de energia, o tempo não existe. Quando estamos conectados a essa frequência, é como se não conhecêssemos outra coisa. O Ho'oponopono permite a conexão com a parte mais sutil dessa frequência e sua purificação.

O acesso à "fonte" dessa memória abre nosso campo de experiência e de possibilidades.

Mais uma vez, não é preciso ter consciência da origem, mas apenas praticar a partir de nossa experiência, em sua manifestação.

> *A prática do Ho'oponopono aumenta nosso índice vibratório, pois purificamos as memórias que pesam em nós. Quanto mais elevado for nosso índice vibratório, mais estamos em contato com a Fonte.*

Quanto mais nos purificamos, mais acesso podemos ter a essa Fonte, a esse ponto que podemos sentir e que, para mim, é de fato a porta que se abre a outro espaço, um local de paz, de claridade e de silêncio, de onde tudo emerge e onde tudo se dissolve.

Há um movimento constante entre os planos sutis e a matéria. A energia sutil se condensa em sua descida à matéria, e a subida ao sutil libera as memórias.

Todas essas memórias são a cristalização dos nossos pensamentos, das nossas emoções e dos nossos sentimentos, eles próprios caracterizados pelo filtro de nossas experiências. Estão fora do tempo. O que é particularmente interessante é que se você praticar o Ho'oponopono por um bom tempo, sem interrupção, terá pensamentos e lembranças que às vezes surgirão com muita rapidez. São memórias que remontam e se purificam. Não há necessidade de se aprofundar nelas, pois já não geram emoções. É como desfazer os nós à medida que se puxa um fio. É como abrir uma grande sopeira de onde emergem os ingredientes. Trata-se de um processo que se desenvolve.

Às vezes, podemos praticar o Ho'oponopono durante certo tempo, sem interrupção, ou então três ou quatro vezes e parar. Sentimos como um movimento que se interrompe. É a manifestação do fluxo de energia que, nesse momento, é percebida dessa forma.

É necessário ter consciência do que se passa?

Não, absolutamente. Se descrevo esse processo é porque tenho uma sensibilidade natural para sentir as mudanças do estado vibratório. Mesmo que você não tenha consciência delas, o simples fato de fazê-lo cria uma intenção, e o processo se desenvolve, pois há uma conexão.

Quando você posiciona seu aparelho de rádio para sintonizar a estação que deseja, não precisa saber como isso funciona, apenas escolher a frequência correta.

POR QUE LIBERAR ENERGIAS BLOQUEADAS

Por que o real muda de lugar?

Gaston Bachelard

Liberar as energias bloqueadas lhe dará mais liberdade em todos os domínios da vida: financeiro, relacional, profissional etc. Quando as coisas não vão bem, a maioria de nós tende a buscar uma solução do lado de fora. Quando você compreende esse fenômeno de ressonância consigo mesmo, começa a realizar a mudança dentro de si. Torna-se o ponto central. Quando essa memória se dissolver e se descristalizar, os acontecimentos mudarão, pois já não haverá em você essa espécie de ímã que atrai o que está em ressonância com ele. É como se você tivesse alterado sua frequência interna; a resposta externa será portanto modificada.

Sua vida encontra mais amplitude porque você mudou. Na maioria das vezes, a mudança é imperceptível. É o exterior que a reflete em termos de experiências que se tornam diferentes. Além disso, você também poderá notá-la porque sua maneira de reagir aos acontecimentos mudou.

A partir do momento em que mudamos, deixamos de transmitir a mesma vibração. Estamos todos ligados, e quando você libera essa energia em si mesmo, pode alcançar um espaço muito mais amplo de fluidez e criação. É um pouco como uma reprogramação com aquilo que você é realmente, com seu plano de encarnação.

Cada um possui em si a raiva, o ódio, a inveja, o ciúme, o medo... Todas essas emoções que filtram nossa vivência e estão ligadas às nossas memórias. A purificação das memórias age nesses espaços.

No budismo tibetano, existe uma técnica chamada *Tonglen*, que consiste num trabalho de purificação por meditações específicas. Antes de praticá-la com outras pessoas, recomenda-se a prática em si mesmo, a fim de descobrir e aprofundar o amor e a compaixão. Trata-se de assumir, por compaixão, os sofrimentos diversos de todos os seres, mentais e físicos, e, por nosso amor, dar-lhes felicidade, bem-estar, serenidade e plenitude. É um amplo programa que está longe de ser acessível a todos, pois, se não estivermos na compaixão, recuperaremos o aspecto negativo e passaremos adiante nossas cargas emocionais e negativas. Para praticar essa técnica, é preciso conduzir o espírito a ele mesmo por meio da meditação.

Aproximarei o Ho'oponopono desse método tão poderoso, mas difícil. O Ho'oponopono não nos solicita a aceitação de nenhuma responsabilidade nem a emissão de uma intenção para outra pessoa, e sim que entremos no espaço que há dentro de nós, onde o problema do outro ressoa. E isso, mais uma vez, mesmo que não tenhamos consciência desse fato.

Pelas quatro breves frases, que são como um mantra que nos ajudará a nos conectarmos com a parte mais elevada em nós, as memórias poderão ser purificadas e os programas, desprogramados.

Trata-se de um processo de perdão de si mesmo, um processo de perdão e reconciliação com nossa essência divina.

Nosso livre-arbítrio consiste na escolha de seguir o curso da vida que nos foi confiado. O que nos isola disso é nosso espírito, nossas memórias, e seu campo é vasto: presente, passado, transgeracional e além dele. É necessário purificá-los para estar no curso na vida com o mínimo possível de parasitas.

Essa purificação nos permite a reconexão cada vez mais frequente com a Fonte em nós. Tudo pertence a uma perspectiva maior do Universo. Todos temos um papel, mas às vezes assumimos o papel de outra pessoa.

Por exemplo, quando praticamos ou ensinamos alguma coisa, temos uma maneira específica de fazê-lo, que está em ressonância com nossa vibração.

Porém, não teriam os outros o mesmo papel que nós? Sim, mas é a aparência externa que é a mesma. Cada um o desempenha à sua maneira, especificamente, em seu lugar, e não deve desempenhá-lo como o outro. Podemos ter aptidões para algumas coisas, mas temos um papel.

Por fim, nessa purificação das memórias, agimos não apenas, como eu disse anteriormente, sobre o passado e o presente, mas também sobre no futuro. Ao purificar esses espaços, seu estado vibratório será modificado, você estará em ressonância com um novo espaço, e, por conseguinte, seu futuro será alterado.

RESOLVER OS PRÓPRIOS CONFLITOS PARA SER FELIZ

O Ho'oponopono é um excelente método de resolução de conflitos; mas e quando se trata de nossos conflitos intrapsíquicos?

Como vimos anteriormente, Ho'oponopono significa "restabelecer a ordem". Quem diz "ordem" diz "equilíbrio e harmonia".

Precisamos de uma ordem tanto fora quanto dentro de nós. Muitas vezes separamos esses dois aspectos. Contudo, o equilíbrio passa necessariamente por eles. Não podemos estar em equilíbrio do lado de fora se não estivermos em equilíbrio também do lado de dentro. Isso é válido em todos os domínios de nossa vida. Encontramos dificuldades porque algo em nós não está ordenado; eu diria que algo não está alinhado. Não obedecemos o bom senso. Vemo-nos, então, num estado de tensão interna que nos afasta do nosso centro, do nosso vínculo com o Universo, com nossa alma.

Precisamos que haja uma harmonia e um equilíbrio entre o corpo, a mente, as emoções e o espírito (aspecto espiritual).

O Ho'oponopono nos permite restabelecer esse equilíbrio. O que o teria rompido?

Como vimos nas quatro fases do processo, há múltiplas imbricações para um problema. Esse desequilíbrio pode vir de nossa ação, mas pode também estar envolvido num problema transgeracional, numa memória de sociedade... Muitos fatores que, na realidade, não são tão importantes. Conhecê-los não lhe permitirá resolver o conflito. Quando falo de conflito, refiro-me não apenas àquele "exterior", entre várias pessoas, pois no nível familiar pode ter havido conflitos muito antes do seu nascimento, mas cuja memória você carrega inconscientemente.

Penso que seja necessário aprofundar a noção de conflito interior. No que se refere a ele, há todas as situações que geram raiva e agressividade, mas com frequência nos esquecemos das tensões internas que vivemos no cotidiano.

Por exemplo, você se sente insatisfeito do ponto de vista profissional. Encontrará muitas razões boas para essa insatisfação; no entanto, ao se conceder um tempo para refletir, talvez perceba que há um conflito interno. Penso em pessoas que estão insatisfeitas em sua empresa, que gostariam de ter o próprio negócio, mas nunca o fazem. Indo um pouco mais longe, percebemos que seu medo é o de ter êxito, por exemplo, porque isso poderia gerar ciúme entre os amigos ou na família. Portanto, há um conflito interno entre o que desejam e o que pensam do olhar dos outros.

Pode-se dizer o mesmo de uma pessoa que abre a própria empresa e depara com grandes problemas financeiros: analisando seu problema, descobrimos um conflito interno da mesma ordem, que a impede de ter sucesso. Há muitos exemplos desse tipo relacionados a conflitos internos.

De maneira geral, quando a insatisfação reina em algum domínio de sua vida, você pode estar certo de que tem um conflito interno. Sente-se atormentado entre o que de fato deseja e o que o impede de realizá-lo, ou seja, as resistências. E são sempre elas que acabam levando a melhor, a não ser que concordemos em encontrar a harmonia interna.

Por isso, na última parte deste livro, você encontrará diversos temas com vários aspectos com os quais poderá trabalhar.

Enquanto estivermos nesses conflitos intrapsíquicos, não poderemos ser felizes.

A NOÇÃO DE KARMA E A PURIFICAÇÃO DAS MEMÓRIAS

Não tem nome AQUILO que está além do pensamento e que é ENERGIA sem causa.

Krishnamurti

O termo *karma*, que significa "lei de causa e efeito", tem sua origem na Índia e, em particular, no budismo. Aplicamos a ele uma visão errônea, caracterizada pela cultura judaico-cristã, uma visão que mais do que qualquer coisa mergulha o indivíduo na culpa. Na maior parte das vezes, quando alguém lhe diz "esse é seu karma", você entende que se trata de algo incontornável, de seu destino; tem de pagar por seus erros e nada mais pode fazer.

Mas o karma está muito longe de ser isso.

Se uma causa produz um efeito, é necessário que haja um contexto e alguns parâmetros para que esse efeito possa ocorrer. Para entender o que é a lei do karma, é preciso compreender que ela se aplica a tudo, e não apenas ao ser humano.

A natureza se inscreve na dinâmica kármica, ou seja, numa ordem.

Em sua essência, a semente do limão possui a capacidade de se tornar um limoeiro. Se você plantá-la no sul da França ou num país mediterrâneo, é bem provável que ela se torne um limoeiro e dê frutos.

Por outro lado, se você plantá-la no norte da França, o resultado será bem diferente. A esses parâmetros climáticos se acrescenta a noção de terreno e orientação. Em função da terra e da exposição ao sol, uma videira vai dar um ou outro tipo de vinho... Se o efeito desses parâmetros nos parece evidente no que se refere à natureza, o efeito da concordância de diversos parâmetros nos é menos familiar em relação à nossa vida. Nosso karma também responde a diversos parâmetros.

Estamos longe da noção confinante de imutabilidade da vida que emprestamos ao karma. Este induz à noção de responsabilidade. Diante do que vivemos, cabe-nos observar não apenas tudo o que pode compor os parâmetros aparentes, mas também o que carregamos em nossa essência.

Para mim, o Ho'oponopono reúne essas noções e nos permite fazer esse trabalho, pois purifica as memórias. Agimos automaticamente no plano kármico. Ao purificar nosso presente e aquilo que nos incomoda, geramos um karma (consequências) diferente. Quanto mais nos purificamos, mais leve ficamos e permitimos que antigas memórias aflorem para serem purificadas. Ao limpá-las, também limpamos o passado. *Ao limpar o passado, oferecemos a nós mesmos os meios para um futuro diferente.*

O Ho'oponopono é um método que nos coloca no presente. Nunca se esqueça de que tudo está no presente. Seu presente é o resultado do seu passado, mas você pode modificá-lo a qualquer momento e, por conseguinte, mudar o seu futuro. Por seu poder, o Ho'oponopono no conduz a buscar esse tempo T, esse momento presente que permite a mudança.

Neste capítulo, insisto na importância desse momento presente. Nossa percepção do tempo em nosso estado de consciência comum nos leva a considerar apenas um antes e um depois, que traduzimos por passado e futuro, escamoteando o presente. Contudo, todas as pessoas que tiveram certas experiências, sobretudo pela meditação, que poderíamos chamar de "expansão da consciência", sabem que o tempo não existe tal como o percebemos. Não há início nem fim. É a esse espaço que a consciência do presente nos conduz. Portanto, é nele que podemos agir, mudando nossos pensamentos e nossas maneiras de fazer. Muito se fala em viver o momento presente, mas nem sempre se sabe o que isso implica. Viver no presente significa não perder nossa energia em pensamentos que nos levam a um passado que repisamos nem à projeção de um futuro hipotético. Todavia, além desse programa que já não é evidente, viver no momento presente nos abre para a possibilidade de chegarmos, de maneira consciente, a esse instante que permite a mudança. Isso passa sobretudo por um trabalho com nosso pensamento e nossas crenças e por nossa visão da vida. O Ho'oponopono é um método que permite o acesso a esse instante T. A partir do momento em que você chega a ele com um estado de espírito diferente, o passado é transformado e, evidentemente, o futuro também o é.

O que significa transformar o passado?

Por certo, quando alguma coisa já aconteceu, não podemos voltar a ela nem a apagar; em contrapartida, podemos modificar suas consequências. E isso está em nosso poder no presente.

Tomarei como exemplo um homem que ficou preso durante alguns anos por ter cometido um assalto. Enquanto esteve na prisão, ponderou sobre o impacto do que havia feito e por que chegara a esse ponto. Ao sair da prisão, conheceu alguns jovens, aos quais contou sua experiência, e os ajudou a seguir pelo bom caminho. O que o transformou foi sua atitude, sua visão da vida, que passou a ser totalmente diferente daquela que antes o conduzira a atos ruins. Utilizou tudo isso para ajudar as pessoas que poderiam seguir o mesmo caminho que ele.

No que diz respeito ao karma, que não é uma lei externa e implacável, esse exemplo parece falar por si. Nossa vida é repleta de instantes T, nos quais podemos nos lançar por nossa felicidade e pelo bem da humanidade.

Que o leitor me permita contar uma breve história pessoal, que aconteceu há alguns anos. Sou budista, e em determinada ocasião assisti a um seminário com um mestre, cujos ensinamentos acompanhei por ocasião de uma de suas viagens à França. Preocupada com um problema de casal, solicitei uma entrevista, a fim de saber qual seria sua razão kármica. Confesso que esperava que ele me falasse de uma vida anterior, na qual eu pudesse ter feito alguma coisa cujas consequências sofreria naquele momento. Minha mente e meu ego estavam bem nutridos, e foi com esse estado de espírito que o procurei. Ele ouviu meu problema e me fez algumas perguntas. Porém, sua resposta não foi a que eu esperava. No mesmo instante, fez com que eu pusesse os pés no chão e me deixasse levar pelas condições favoráveis. Ele disse: "Você tem de aprender a compaixão". Num piscar de olhos, entendi o que era o karma.

Detemo-nos nas aparências externas, mas é o estado de espírito, o estado interior, que gera o exterior.

VOCÊ É MUITO MAIS DO QUE SUA HISTÓRIA, MUITO MAIS DO QUE SUAS MEMÓRIAS

A energia é o real, o Universo é energia, a energia é a consciência.
Arthur Avalon
Sir Woodroffe (Shakta — Vedanta)

Em geral, tendemos a negar o que nos incomoda porque nos desagrada e reflete uma imagem que nos desvaloriza. Em psicologia junguiana, chamamos isso de "expressão sombra do eu". No entanto, quanto menos quisermos vê-la, mais ela se exprimirá e será ativa.

A chave é o amor por tudo o que existe. Ao amar alguma coisa, ela se transforma.

Quanto mais rejeitarmos essa parte e a negarmos, mais ela se intensificará, como se pedisse para ser reconhecida. Quando é amada e reconhecida, conseguimos enxergá-la de outro modo. Nossa visão e nossos pensamentos se abrem, e novas possibilidades se apresentam, permitindo uma transformação. Amar essa parte é aceitar que ela nos pertence, reconhecê-la como existente. Nesse momento, ela se integra numa dinâmica. O que estava "doente" e nos invalidava, fazendo-nos sofrer, pode ser curado.

Às vezes, também podemos ser céticos em relação ao método Ho'oponopono, pois queremos um mundo igual ao que imaginamos. Se quisermos um mundo de paz, pois achamos que algo ou uma pessoa não está indo pelo bom caminho, pensamos em mudar o exterior. Consideramos o mundo em relação à visão do nosso espírito. O Ho'oponopono nos dá a possibilidade de purificar essas memórias e o que nos incomoda. A purificação parte de nós mesmos, e é difícil ver que trazemos em nós essas memórias que rejeitamos no outro. Quanto mais elas nos incomodam, mais devemos purificá-las. Portanto, não é à forma que temos de nos vincular, e sim à emoção e ao sentimento gerados em nós. O Ho'oponopono nos oferece a oportunidade de purificar justamente isso.

Como já mencionei, o trabalho psicológico que podemos fazer é uma ajuda considerável na compreensão de si mesmo, em nossa evolução; porém, em certo momento, atingimos um limite. Esse limite se situa nos planos energéticos sutis que não podem ser alcançados. Portanto, é necessário passar por métodos energéticos e, em particular, espirituais. Entendo o termo "espiritual" no sentido de um trabalho em níveis vibratórios muito elevados, além da mente, do consciente, da vontade e do nosso espaço temporal. O Ho'oponopono permite esse acesso. Essa purificação de nossas memórias é uma reconciliação com o si mesmo, com nossa parte mais elevada, a abertura para muito mais fluidez em nossa vida e uma reconciliação com o mundo.

Lembre-se: você é o mundo e você é muito mais do que sua história.

NOSSOS PENSAMENTOS SÃO A ENERGIA QUE PODEMOS CANALIZAR

Vimos anteriormente a importância do momento presente. A maior parte de nós deixa-se capturar por nossos pensamentos e, por conseguinte, por nossas emoções. Nossa atenção se dispersa em meio a uma grande quantidade de temas que invadem nosso campo de pensamento e nos distraem da energia. Pois nutrir esses pensamentos, particularmente os negativos, consome uma energia considerável. Temos dificuldade para permanecer concentrados e não nos deixar levar por outras coisas. E isso não apenas no nível de nossos pensamentos, mas também em nossas ações cotidianas. Iniciamos muitas coisas que não concluímos, o que gera frustração e insatisfação. Às vezes, a dispersão mascara um mal-estar do qual não queremos nos conscientizar.

Muitas pessoas se interessam pelo desenvolvimento pessoal, mas fazem uso de técnica após técnica sem tirar delas os benefícios que podem levá-las a mudar. Nesse caso, também estão na dispersão.

A consequência dessa atitude é que vivemos num esgotamento mental e emocional e não conseguimos concluir nossos projetos. Eles permanecem no estado de desejo, e não nos mantemos focados nos objetivos que estabelecemos para nós mesmos.

Lembre-se de que o lado de fora apenas responde ao lado de dentro. Se você focalizar uma coisa e, logo depois, focalizar outra, sem deixar tempo de retorno, a energia investida de nada servirá. É um pouco como um barco que navega ao sabor do vento, sem capitão. Para chegar ao destino, o capitão deve saber aonde vai e, em função desse objetivo, traçar uma rota e servir-se de ventos favoráveis. Nadamos contra a corrente. Queremos colher os frutos, mas sem esforço. No entanto, o empenho é necessário para tudo.

Outro aspecto referente aos pensamentos e à energia é que existe uma lei em energética que diz: "Aonde vai o pensamento, a energia vai atrás". O impacto em nossa vida é que percebemos os acontecimentos pelo filtro de nossas crenças, e o fazemos de maneira muito limitada. Uma pessoa pessimista tem sempre uma visão negativa da vida e espera complicações por toda parte. É o que ela experimenta, pois, estando sua atenção voltada para o lado negativo, não enxerga o positivo e se priva de soluções. Nem tudo é preto ou branco. Há uma multiplicidade de nuanças de cinza. Quanto mais largo for nosso campo de percepção, mais cultivaremos o positivo, mais seremos capazes de administrar os problemas de maneira diferente e menos esses problemas terão impacto sobre nós.

Por conseguinte, se você cultivar um pensamento e uma visão de mundo otimistas, aumentará a ocorrência de acontecimentos positivos em sua vida. Não por magia: eles já estavam ali, mas sua atenção não estava voltada a eles de maneira que você pudesse percebê-los.

Com o Ho'oponopono, o importante é ver a ressonância das memórias em nós. Mais uma vez, não se trata de analisar e estudar a questão no nível mental, e sim dedicar-se a ela na prática, pois o primeiro alvo dela é você. Isso significa que quando praticamos o Ho'oponopono sobre alguma coisa que nos afeta, algo se moverá em nós. Este é o ponto de partida para toda mudança. O Ho'oponopono também lhe permitirá purificar as memórias que reduzem seu campo de atenção e fará surgir uma visão mais otimista, pois as memórias vão se dissolver aos poucos.

A prática é simples, e só você poderá fazê-la por você mesmo.

Algumas pessoas me dizem que não conseguem se concentrar no problema e repetir as quatro frases ao mesmo tempo.

Por essa razão, neste último capítulo antes da prática dos temas, proponho quatro exercícios destinados a ajudá-lo a

- Conectar-se e
- Concentrar-se.

Esses exercícios não apenas o ajudarão com o Ho'oponopono, mas também lhe proporcionarão benefícios para que você se sinta melhor em seu dia a dia.

1º exercício — Conectar-se ao nível mais elevado em si mesmo

Imagine um fio invisível que liga o topo da sua cabeça ou o centro do seu tórax a um local muito distante, acima de você. Imagine esse local como um ponto.

Faça essa ligação uma única vez, pois, após estabelecê-la e sentir esse ponto, a conexão se manterá. Você pode, então, trazer o problema para dentro do seu campo apenas evocando o tema em pensamento.

2º exercício — Aprender a desenvolver a própria sensibilidade

Anteriormente, eu disse que sinto as memórias de maneira sutil. Embora essa sensibilidade não seja necessária para praticar o Ho'oponopono, você também pode desenvolvê-la. Ela o ajudará a sentir quando você pode interromper a prática ou se deve continuá-la.

Para tanto, você utilizará a natureza ao seu redor e aprenderá a ser cada vez mais sensível ao meio que o circunda. Quando vai a um *shopping*, o nível de energia ali não é muito alto. Fique atento ao ambiente energético que emana de tal lugar. Muitas vezes, você sentirá um peso e sairá de lá cansado.

Por outro lado, quando estamos na natureza, o nível energético é mais elevado, e nos sentimos revigorados. Cada lugar possui uma energia diferente. Assim, a energia na praia não é a mesma que a energia na montanha. À beira-mar, os elementos Água e Ar predominam. Na montanha, são sobretudo os elementos Terra e Fogo que estão em atividade. Quando estiver em contato com a natureza, habitue-se a perceber seu modo de sentir o ambiente.

Perto da água, a energia varia dependendo de onde você estiver: à beira de um oceano, de um lago, de um rio ou de uma cachoeira.

Num parque, há uma energia particular com as diferentes espécies de vegetais. Reserve-se um tempo para se sentar, fechar os olhos e permita que as sensações cheguem até você. Alguns pensamentos podem emergir. Observe tudo isso sem fazer nenhum julgamento.

Com o tempo, você sentirá como todos esses ambientes são diferentes.

3º exercício — Depurar as próprias percepções

Este exercício é parecido com o anterior. Pratique-o pela manhã, ao nascer do sol, e/ou ao final do dia, com o pôr do sol.

Sente-se, feche os olhos e sinta o ambiente externo predominante. Ouça a natureza, sinta os odores, ouça os ruídos que vêm de longe. Eles não chegam a você da mesma maneira pela manhã e ao final do dia, na hora em que a natureza se cala, nem no verão e no inverno, ou quando chove.

Reserve-se um tempo para fazer esses exercícios. Eles vão depurar sua percepção, e você verá que sua prática do Ho'oponopono será então mais fácil e eficaz.

4º exercício — Favorecer a concentração e a calma mental

São as bases da meditação.

Sente-se, tomando cuidado para manter as costas retas, mas não tensas. Você pode acomodar-se numa cadeira. Não utilize música. Feche os olhos e direcione sua atenção para sua respiração.

Você perceberá que muitos pensamentos atravessarão seu espírito; é perfeitamente normal. Sempre que perceber isso, faça sua atenção se voltar lenta e pacientemente para sua respiração. Continue a seguir o fio de sua respiração em seu corpo.

Este exercício de meditação deve ser praticado todos os dias, no início apenas por alguns minutos, pois, se sua técnica é muito simples, sua prática é bem mais difícil em razão dos nossos pensamentos. Aos poucos, você aumentará seu tempo de meditação e terá menos pensamentos. Será capaz de manter-se concentrado por mais tempo em sua respiração e, sobretudo, encontrará a calma mental.

O HO'OPONOPONO NA PRÁTICA

O homem é um mistério. Precisa ser desvendado, e se empenhares toda a vida em fazê-lo, não digas que perdeste tempo.

Dostoiévski em *Carta a seu irmão Mikhail*,
16 de agosto de 1839.

Vale lembrar que:

- O Ho'oponopono permite purificar as memórias, que são programas;
- Nós as percebemos por meio de nossas experiências, nossos sentimentos e nossos pensamentos;
- O procedimento baseia-se no princípio de buscar em si o que é comum com o que se manifesta fora de si.

Portanto, temos de trabalhar em diversos espaços em função da maneira como percebemos os problemas.

Nesta parte, quis dar ao leitor um painel de domínios nos quais é possível utilizar o Ho'oponopono a fim de purificar um número máximo de memórias. Para cada um, evoco pontos precisos, em torno dos quais se pode trabalhar. Essa parte lhe servirá de guia para que você estabeleça um plano de trabalho eficaz. Pode-se escolher entre inspirar-se nele para passar a própria vida em revista ou utilizá-lo de modo mais pontual em função do momento.

Conselhos sobre a maneira de proceder

Para cada elemento abordado, proponho várias indicações de formas pelas quais você pode entrar em ressonância com o problema.

Você notará que muitas vezes proponho a conexão com a emoção, o sentimento ou a situação de maneira intrínseca.

Por quê? Porque a emoção, o sentimento e a situação possuem uma vibração que lhes é própria, e não sabemos se é a situação que estamos vivendo que gera essa emoção ou se há uma conexão independente dela. Por isso, é importante trabalhar nesse sentido.

ANTES DE TODA PRÁTICA — é com sua parte mais elevada que você deve se conectar, mesmo que outra pessoa esteja envolvida.

No nível relacional

Na maioria das vezes, é através dos conflitos que as memórias se manifestam.

Se você sentir um conflito ou um mal-estar em relação a uma pessoa, o primeiro aspecto em que poderá agir é na sensação, seja qual for a maneira como ela se apresentar (raiva, medo etc.).

Em seguida, você poderá considerar praticar o Ho'oponopono sobre a situação de maneira global (o modo como ela se exprime).

Por fim, também poderá praticá-lo sobre a relação entre você e a(s) pessoa(s) envolvida(s).

Esses três aspectos são as bases do trabalho em nível relacional. Nelas, em função do que você vier a sentir, dos pensamentos que surgirão e das lembranças que possam ocorrer, você poderá praticar o Ho'oponopono sobre cada uma dessas coisas.

Quando sentimos uma dificuldade, podemos purificar essa parte em nós que tem essa dificuldade. Não é importante conseguir nomear o que deve ser purificado. Você estará conectado com a expressão dessa vibração equivocada, e o que perceberá é sua manifestação. Também não é importante saber o que precisa ser limpo, pois a purificação ocorrerá de qualquer modo. Deixe que as coisas sigam seu curso natural e tenha confiança.

O que acontece com a outra pessoa envolvida nesse problema relacional?

Tomemos o exemplo de um problema de casal. A princípio, pratique o Ho'oponopono sozinho, em relação a todos os aspectos do problema. Não peça a seu cônjuge que o faça. De resto, talvez ele não se interesse pelo método. Trabalhe a partir de suas próprias emoções, de seus sentimentos, da situação e do que ela gera em você. Esse processo pode tomar tempo, mas você pode voltar a ele em várias ocasiões, não precisa resolver tudo de uma só vez. O que lhe permitirá ver que as memórias foram liberadas é o fato de que você mesmo estará livre da situação e a perceberá de maneira diferente. E isso não será uma visão do espírito. É bem provável que, nesse momento, o cônjuge reconheça sua parte.

Se ele desejar praticar o Ho'oponopono sobre o mesmo problema, ele o fará por conta própria, a partir de suas próprias percepções. Não se esqueça de que, mesmo sendo um casal, vocês são duas partes distintas, e cada um trabalha de maneira independente.

Se você não conseguir praticar o Ho'oponopono

Pode acontecer de você não conseguir realizar a prática porque se encontra muito imerso na "animosidade" em relação à situação ou à pessoa. Não se esqueça de que não é à pessoa que você vai se dirigir, mas sim a você mesmo, a seu ser profundo, a essa memória que está em seu interior. Contudo, se ainda assim não conseguir, pratique simplesmente o Ho'oponopono com a consciência de que está limpando a memória de sua impossibilidade e de seu bloqueio. Aceite o que é, ou seja, essa impossibilidade. Talvez esse seja apenas o modo de manifestação dessa memória.

Não se esqueça: não lhe é pedido para alcançar um objetivo com o Ho'oponopono nem para que obtenha uma reconciliação, caso haja um conflito com alguém. Não coloque a carroça à frente dos bois. Trabalhe com suas percepções desse conflito e com o que ele gera em você, sem se julgar. Não projete nenhum resultado.

No nível transgeracional

Trata-se de um domínio no qual utilizo muito o Ho'oponopono para liberar antigas memórias e antigos esquemas.

O domínio familiar é um vasto reservatório de memórias que criam vínculos dos quais nem sempre temos consciência.

Eis por que é necessária uma limpeza dos diferentes aspectos do nível transgeracional. No entanto, apesar desse trabalho, você terá de voltar a certos temas que aparecerão de maneira um pouco diferente.

A prática nesse domínio pode suceder à anterior, quando o nível relacional se enraíza no transgeracional, mas também pode ser independente.

Se suceder a um problema relacional, trate-o do mesmo modo como cada aspecto que vier a se acrescentar. Por exemplo, um problema de inveja entre dois irmãos — tratar a inveja, o tema da inveja (o dinheiro, por exemplo) e o que surgir, se for o caso (um problema similar a outra geração, por exemplo, ou um segredo de família, como um filho mantido em segredo etc.).

Se sua prática for independente, você poderá agir de várias maneiras:

- Conectando-se à linhagem materna.
- Conectando-se à linhagem paterna.
- Conectando-se a um membro da família na relação particular que tem com ele. Trabalhe com todos os elementos que aparecerem.
- Conectando-se a si mesmo, em sua relação no seio da família.
- Praticando sobre um aspecto particular que descobriu na família (alcoolismo, abandono, dinheiro, herança, valores familiares etc.).

Você também pode praticar o Ho'oponopono em relação a seus filhos. Examine o que gera o problema — nem sempre é fácil reconhecê-lo — e pratique.

O que fazer quando uma pessoa de sua convivência se depara com uma dificuldade? Como praticar o Ho'oponopono nesse caso?

Muitas vezes, tendemos a querer ajudar os outros, sobretudo com orações. É normal, mas o Ho'oponopono tem outra abordagem. Não se trata de pedir alguma coisa para a pessoa querida, e sim de praticar o Ho'oponopono em relação ao que esse problema causa em você, mesmo que se trate de uma doença, por exemplo.

No nível profissional

Nesse espaço, o problema pode ser de ordem relacional. Nesse caso, você deve praticar o Ho'oponopono em relação à(s) pessoa(s) envolvida(s). Isso não significa que elas devam estar presentes, mas que você utilizará o método como explicado anteriormente para o nível relacional.

Acrescente uma prática relativa a seu sentimento (raiva, sentimento de inferioridade etc.).

Uma prática que englobe a situação de maneira geral.

Em função do problema, você também pode praticar o Ho'oponopono em relação a um caso. Conecte-se mentalmente a ele e realize a prática. Nessa situação, nem sempre você terá todos os elementos nem conhecerá todos os protagonistas. Por isso, tomar o caso como uma questão geral à qual você se conecta permitirá dissolver as memórias e favorecer uma energia diferente.

Em relação a um caso, nunca se esqueça de trabalhar também com seus sentimentos.

No que se refere ao aspecto profissional, seu problema pode estar ligado a uma determinada situação (falta de trabalho, dificuldades financeiras etc.): trabalhe com a questão financeira e com seu sentimento em relação a ela.

Notei que, na maioria das vezes, quando partimos do ponto central do problema, todas as ramificações importantes aparecem sob a forma de ideias. Entretanto, não perca tempo dizendo a si mesmo que é porque isso ou aquilo aconteceu que... não importa o objetivo. Tome apenas a ideia ou a lembrança que surgir e pratique o Ho'oponopono.

As crenças

Nossa vida é conduzida por nossas crenças, que verificamos em todas as nossas experiências. Identificar suas crenças vai lhe permitir purificá-las.

As crenças criam um filtro (como óculos com lentes coloridas), através do qual enxergamos nossas experiências. Desse modo, teremos percepções significativas que vão confirmar nossas crenças e, por conseguinte, ancorá-las novamente.

Descobriremos que é nosso espírito que conduz o jogo. É uma espécie de interferência entre nós e o Divino.

Pense nos problemas para os quais deseja praticar o Ho'oponopono e reserve um tempo para listá-los. Observe as crenças que os acompanham e pratique o Ho'oponopono em relação a elas.

No nível financeiro

Eis um tema que comporta inúmeras memórias. Há múltiplas maneiras de praticar o Ho'oponopono em relação a esse assunto.

Como para os outros aspectos, quando há um bloqueio em relação ao dinheiro, há também uma memória ativa que impede a energia de circular.

- Você está sem dinheiro: os pontos a serem trabalhados são sua falta, as razões aparentes para ela e a maneira como você as vivencia.
- Suas crenças em relação ao dinheiro: identifique todas as crenças que tem em relação ao dinheiro e anote-as. Examine também as crenças sobre dinheiro e a maneira de ganhar dinheiro típicas em sua família. Talvez haja casos idênticos entre seus parentes? Pratique o Ho'oponopono sobre todas as ideias que lhe ocorrerem, mesmo que elas lhe pareçam absurdas.
- Você tem um problema de herança: obviamente, os pontos são relativos ao nível financeiro, mas também aos níveis relacional e transgeracional.
- Alguém está lhe devendo dinheiro: a situação pode ser financeira, relacional, sentimental e até mesmo profissional.
- Seus sentimentos em relação ao dinheiro: seja honesto consigo mesmo e observe como julga as pessoas que têm mais dinheiro do que você, as que são muito ricas. Trabalhe seus pensamentos e os sentimentos que surgirem.
- Sua situação lhe parece bloqueada no nível financeiro: pratique em relação à situação, um caso eventual, o relacional ligado à situação, o dinheiro, sua relação com o dinheiro e, em certos casos, o transgeracional.
- Você tem dívidas: pratique em relação a você mesmo e à sua responsabilidade, à situação, ao objeto da dívida, ao caso, ao relacional e a todo elemento que surgir. Não

se esqueça dos sentimentos gerados por essa dívida (raiva, culpa, vergonha etc.).

O dinheiro é uma energia que pode criar tanto o aspecto positivo quanto o negativo. Como tal, é neutro. Por certo, quando o temos, a vida é mais fácil. Entretanto, a relação que cada um mantém com ele é muito singular e significativa, com vínculos complexos em relação a si mesmo e aos outros, em particular à família.

As tensões e as contradições referentes ao dinheiro são muitas. Neste capítulo, convido o leitor a visitar esses aspectos. O dinheiro, a riqueza, a prosperidade e a abundância são diferentes parâmetros, aos quais cada um de nós atribui seus próprios valores, suas crenças, seus símbolos etc. Nesses espaços, também o convido a deter-se para reflexão e purificação das memórias.

Há uma diferença entre a riqueza e a prosperidade. A primeira é mais da ordem da acumulação e remete à satisfação do desejo, muitas vezes mascarando uma falta e um medo fundamental da insegurança. A segunda é a circulação. Podemos ser prósperos sem ter muito dinheiro, e podemos ter muito dinheiro, sermos ricos, mas vivermos com medo de perdê-lo.

Uma das crenças mais difundidas sobre o dinheiro é a da escassez, o fato de não haver dinheiro para todo mundo. As argumentações econômicas repousam nessa lógica, que veicula medo e contenção. É uma lógica de conflito, de "guerra", em que cada um deve lutar para ter seu lugar.

A prosperidade é fluidez, movimento. Baseia-se no reconhecimento dos valores tanto humanos quanto em termos de recursos. É a aspiração à felicidade, à alegria e à abundância que cada um traz em si.

A prosperidade depende do nosso estado de espírito. Abertura, confiança, fluidez e gratidão a acompanham. Falta, medo, encerramento, sentimentos negativos e contenção são contrários a ela.

Uma pequena série de questões o ajudará a esclarecer sua posição em relação ao dinheiro, à prosperidade e à riqueza.

Se você ganhasse na loteria, o que faria?

E se o seu melhor amigo (ou a sua melhor amiga) ou alguém de sua família ganhasse, qual seria sua reação?

Se uma pessoa (conhecido ou familiar) lhe deixasse uma grande soma em dinheiro, qual seria sua reação e o que você faria com ele?

Ser rico é motivo de vergonha?

Você acha que há um limite para a riqueza?

Você acredita que a riqueza muitas vezes é o fruto de malversações?

O que você estaria disposto a fazer para ter mais dinheiro?

Você acha que poderia ser rico?

Se você fosse rico, como seus parentes reagiriam?

Você teria medo da reação deles?

A partir das diferentes respostas que der a essas perguntas, você poderá identificar suas crenças e trabalhar suas memórias a respeito do dinheiro e da prosperidade.

Praticar o Ho'oponopono lhe permitirá adquirir fluidez no domínio da prosperidade financeira.

Situação de dependência

As dependências são situações que perduram no tempo e satisfazem uma ansiedade que compensamos dessa forma. Correspondem a memórias, a programas.

Libertar-se de uma dependência é possível, demanda um acompanhamento por uma pessoa especializada, e o Ho'oponopono pode ajudá-lo a terminar de purificar a raiz dessa dependência.

Os elementos a serem inseridos na prática são:

- Você e essa dependência, seja ela qual for.
- Sua ligação com essa dependência.
- Sua vergonha em relação a ela.
- As complicações que ela pode acarretar (em função do tipo de dependência) ao se trabalharem todos os pontos.
- As pessoas de sua família que sofrem ou sofreram essa dependência.
- Eventualmente, a situação da qual você se lembra em que essa dependência foi favorecida.

Você pode praticar o Ho'oponopono estando ou não ligado a essa dependência. Este último ponto é importante para libertá-lo da raiz do problema e perdoar-se por tudo o que possa ter ocorrido.

Problema em relação a um acontecimento futuro

Você pode praticar o Ho'oponopono se estiver com medo de uma situação que deve acontecer.

Inclua os seguintes elementos:

- Seu temor de maneira intrínseca. Pode ser que outros momentos retornem. Nesse caso, purifique-os também.
- O objeto de seu temor (exame, encontro etc.). Se lembranças se apresentarem, purifique-as.
- Todos os pensamentos e todas as emoções que possam aparecer.

Analise todas as possibilidades que se apresentarem, mesmo que lhe pareçam ridículas.

No nível das emoções e dos sentimentos

O Ho'oponopono é particularmente útil para trabalhar as emoções, sejam as que você tem de imediato, sejam as ligadas a um acontecimento passado, sejam as que são projetadas no futuro.

O domínio emocional é um vasto campo que gera toxinas mentais e físicas sem que percebamos.

No entanto, algumas pessoas querem suprimir suas emoções. Isso não é possível, pois a emoção é um dos fatores internos que nos permitem a adaptação a um evento externo. Por outro lado, o que é nefasto é o impacto que permanece. Esse impacto gera pensamentos, crenças e hábitos. Às vezes, por muitas razões independentes de nossa vontade, estamos mais sujeitos a uma emoção ou a um sentimento particular. Muitos parâmetros passam a ser considerados. O Ho'oponopono é uma purificação da raiz espiritual dessas emoções e ramificações.

Para fazer esse trabalho, primeiro é preciso reconhecer e aceitar as próprias emoções.

- A raiva: reflita sobre o estado emocional e a situação que provocou essa emoção, bem como sobre as pessoas envolvidas nessa situação.
  A essa purificação da raiva, você pode acrescentar os sentimentos de injustiça, impotência e até mesmo de tristeza. Às vezes, sentimos raiva com muita facilidade.
  Se você tem consciência de funcionar dessa maneira, pratique o Ho'oponopono em relação à raiva enquanto tal. É possível que lhe venham situações e pensamentos; nesse caso, continue a praticá-lo.
  Às vezes, é preciso tempo para purificar esse aspecto. Faça-o regularmente e observe como se sente e como reage em situações em que talvez fosse transportado com facilidade para um momento anterior.

- O medo: pratique o Ho'oponopono diretamente em relação a esse estado emocional, à situação que gera esse medo e às pessoas que nele possam estar implicadas.

  A esse trabalho sobre o medo, acrescente o sentimento de impotência e a raiva em alguns casos.

  Trabalhar com o medo requer paciência. Pode demorar até que você consiga dissolver as diferentes memórias ligadas às situações de medo. Reserve o tempo necessário para sentir bem os pensamentos e as imagens que possam surgir e pratique com cada um.

  Lembre-se de que quando começamos a fazer o Ho'oponopono em relação a uma coisa, é como um fio que puxamos: tudo o que estiver ligado, ainda que isso não nos pareça evidente, aparecerá. Não tente saber ao que está ligado, apenas continue a praticá-lo.

- A culpa: trabalhar a culpa requer que se direcione a atenção para a situação que a gerou, mas sobretudo para as pessoas. A culpa é antes de tudo coisa um trabalho sobre o aspecto relacional. São as percepções deturpadas dos vínculos com as pessoas. A culpa exprime uma ligação tóxica com uma pessoa numa situação particular. Manifesta que algo não está correto na relação. Talvez o Ho'oponopono sobre o tema da culpa faça aparecer uma falta de confiança em si mesmo e uma dificuldade de se posicionar. Pratique também sobre esses pontos se eles se apresentarem, bem como sobre as antigas situações em que você se sentiu culpado. Esse processo lhe permitirá purificar certos mecanismos relacionais dos quais você se conscientizará. Nem sempre esses mecanismos são identificados. Manifestam-se por meio de lembranças. Pratique o Ho'oponopono sobre cada lembrança que lhe ocorrer. Não tente intelectualizar. Mesmo que você não se sinta culpado em relação aos pensamentos ou às lembranças que se apresentarem, pratique e confie no que existe.

- O julgamento sobre as pessoas: outro aspecto que classifico no trabalho sobre as emoções é o julgamento que fazemos em relação às pessoas. Frutos de nossas projeções, esses julgamentos geram diversas emoções, como a raiva e a aversão. São energias negativas que obstruem nossos campos energéticos e oprimem nosso nível relacional. Faça uma lista das pessoas que o irritam e pratique sobre:
    - A emoção provocada por essa pessoa, a situação que pode tê-la gerado, sua relação com essa pessoa. Se puder, pratique também em relação a si mesmo aquilo que você critica nessa pessoa.
    - A dúvida.

    A dúvida é um estado em que todos nós já nos encontramos em algum momento. Algumas pessoas têm mais tendência a viver na dúvida. Isso causa ansiedade e dificuldade de se comprometer com alguma coisa. É como se preferíssemos não nos comprometer para que não corrêssemos

o risco de nos enganar. A escolha implica uma renúncia.

Se você está sujeito a essa condição, pode trabalhá-la com o Ho'oponopono, conectando-se ora à situação, ora ao estado de dúvida de maneira intrínseca.

A prática do Ho'oponopono sobre as emoções requer tempo. Com certeza você poderá voltar a ela várias vezes; não desanime, é normal.

No nível do passado

A prática do Ho'oponopono lhe permitirá purificar a raiz de muitos programas que acarretaram acontecimentos e traumas à sua vida. Mesmo que você faça um trabalho de desprogramação celular e pratique o método EFT*, termine fazendo o Ho'oponopono, que permite ir a outros níveis em termos de espiritualidade.

Conecte-se com o que está sentindo, quer se trate de um acontecimento, de emoções ou da relação com as pessoas implicadas. Você poderá trabalhar tanto o global quanto o particular. Depende do acontecimento e de como você se sente.

Nesses casos, quando já se realizou um trabalho anterior, o trabalho de purificação do Ho'oponopono costuma ser bas-

---

* *Emotional Freedom Techniques*: método terapêutico em que se aplicam pequenas batidas nos terminais dos meridianos energéticos do corpo para eliminar sintomas e incômodos emocionais e físicos. (N. da T.)

tante rápido. Sente-se facilmente a conexão com a memória e a libertação final.

O que lhe permitirá ver que houve essa libertação é sobretudo o fato de que você já não sentirá medo de que essa situação se reproduza. É como se ela tivesse sido apagada.

Sobre a violência

Trato desse tema fora do capítulo sobre as emoções, porque ele comporta inúmeros aspectos para os quais o Ho'oponopono pode trazer uma cura.

Abordaremos duas etapas principais: a violência sofrida e a que trazemos em nós.

1 — A violência sofrida

Nesse caso, a prática deverá ser feita mais em relação à situação vivida, aos diversos aspectos que pôde englobar, às emoções e aos sentimentos experimentados e às pessoas envolvidas.

Num segundo momento, quando todo o restante estiver pacificado, você poderá abordar a violência como tal.

Quando menciono a violência como tal, o trabalho se faz diretamente sobre a vibração da violência (sobre o arquétipo).

2 — A violência que há dentro de você

Antes de qualquer coisa, é preciso reconhecer e trabalhar esse aspecto de maneira geral. Você verá o que surge a partir dele e os diferentes pontos para os quais em seguida praticará o Ho'oponopono.

Se sentir alguma resistência, comece seu trabalho por ela.

É normal sentir culpa diante dessa violência. Pratique o Ho'oponopono em relação a essa culpa. É necessário purificar tudo o que se apresentar em função disso.

Num segundo momento, você poderá praticar em relação às situações em que sente sua violência: violência verbal e até física, pensamentos etc.

Nesse trabalho, lembranças podem surgir. É preciso tratá-las. Algumas chegarão ao trabalho sobre a violência sofrida e as emoções (impotência, raiva, medo).

Quando sentir que avançou o suficiente em relação a todo o resto, inclua nessa purificação a violência em sua essência.

Autoconfiança e autoestima

Autoconfiança e autoestima fazem parte de um tema muito amplo, que abrange inúmeros aspectos. Cada pessoa vive a falta de confiança de maneira diferente. Uma vez que cada aspecto que surge requer tratamento individual e muitas vezes se refere a situações em que nos sentimos rejeitados e desrespeitados, proponho aqui algumas indicações de trabalho que podem ajudá-lo a avançar.

A autoestima e a autoconfiança são construídas a partir de situações externas que conhecemos e nos deixaram o sentimento de algo sólido, no qual podemos nos apoiar. Portanto, estão ancoradas no que chamamos de "recursos positivos", aos quais recorremos em nosso cotidiano. Ainda que não tenhamos consciência deles, todos nós os possuímos. É o que permite a função de resiliência (adaptação).

Você pode praticar o Ho'oponopono diretamente sobre o sentimento geral de falta de autoconfiança.

Também pode praticá-lo a partir de sentimentos como falta de eficácia, nulidade, medo de fracassar, de não estar à altura, de não ser capaz, impossibilidade etc.

Caso se lembre de situações em que a autoconfiança lhe faltou ou em que se sentiu fracassado, pratique o Ho'oponopono a partir delas. Talvez você também se sinta inferior a alguém, como um irmão, uma irmã ou um amigo mais bem-sucedido do que você. Nesse caso, não hesite em praticá-lo também nesse domínio.

O Ho'oponopono e as pessoas no fim da vida

Aqui, a prática do Ho'oponopono será útil tanto para a pessoa que deixará este plano quanto para a família.

Ter perto de si uma pessoa que está para partir não é fácil, e acompanhá-la, quando podemos, é uma graça que nos é dada.

Devolvemos à vida o que nos foi dado. Fomos acolhidos nesta terra quando nascemos, e a partida deve ser acompanhada. Nascimento e morte são as duas portas da vida. Façamos de modo que elas sejam atravessadas com respeito, amor e paz.

Nesse momento importante, muitos elementos estão em jogo. A partir dos casos com os quais me deparei em minha prática profissional, especialmente nos acompanhamentos durante o luto, adquiri a convicção de que esse momento é muito importante para todas as pessoas envolvidas. Isso implica, ao mesmo tempo, o plano emocional e o plano espiritual. Quando evoco o plano espiritual, lembro que é no sentido de vínculos sutis e que cada um deposita neles as convicções que tem. O Ho'oponopono é independente de qualquer dogma ou crença religiosa; sempre poderá ser praticado, seja qual for a filiação espiritual de cada um.

É sempre melhor que a pessoa parta com paz mental, tendo resolvido todos os conflitos que a retêm. Esses conflitos podem se dar em relação a outras pessoas ou a si mesmo. Podem ser familiares, mas também todas as situações nas quais a pessoa ainda se sente culpada e não se perdoa. A prática do Ho'oponopono ajudará a dissolver as amarras para a pessoa que parte, seja em nível relacional, sentimental ou emocional.

Nesse espaço, a vibração ligada ao vínculo relacional, mas também material, tem sua importância na prática.

Para a família ou os amigos, se o sofrimento é algo muito habitual, o Ho'oponopono pode ajudá-los a não mergulhar nas emoções.

Também vale a pena observar todos os sentimentos que podem interferir, sobretudo a injustiça, e fazer uma prática.

Se você tem um parente idoso e sente dificuldade em vê-lo perder progressivamente suas forças, poderá utilizar o Ho'oponopono como ajuda. Muitas pessoas vivem esse tipo de situação e reagem interrompendo (ou modificando) a relação de uma maneira ou de outra para evitar o sofrimento.

É algo compreensível, e cada um faz o que pode diante desse sofrimento.

Por outro lado, aconselho o leitor a estar o mais consciente possível. Com efeito, se tiver consciência de que a situação é muito dolorosa e difícil para você e de que não conseguirá enfrentá-la, será mais fácil administrá-la do que fugir, evocando uma série de razões. Nesse caso, acumulamos todo o sofrimento e a culpa, que reaparecerão mais tarde de maneira ainda mais dolorosa. Reconhecer esse fato não o obriga absolutamente a visitar a pessoa, a dizer o que não consegue dizer, mas lhe permite entender seu sofrimento e seus limites. A partir disso, você poderá trabalhar a respeito. Muitas vezes, as coisas se resolvem e lhe permitem ver o problema sob outro ângulo. Não hesite em ser acompanhado por um profissional e não fique sozinho.

Você pode praticar o Ho'oponopono para tratar sua dificuldade diante dessa situação, a culpa que sente e sua dor. Acrescente uma purificação específica quanto à vibração da separação e do vínculo, mesmo antes de a pessoa partir.

O Ho'oponopono e o luto

O procedimento é um pouco parecido com aquele relacionado às pessoas ao final da vida. Antes de qualquer coisa, lembre-se de que é normal vivenciar a dor e exprimi-la.

Por outro lado, se ela durar muito, significa que há algo errado.

Em geral, esse aspecto faz parte do que podemos considerar um distúrbio do vínculo. Não hesite em praticar o

Ho'oponopono para tratar seu sofrimento e o sentimento de falta. Essa prática o ajudará a se libertar do que é subjacente a essa dificuldade. Podem haver muitas razões para esse sofrimento. Não busque a causa, pratique a partir do seu sentimento do momento, e a prática e o tempo se encarregarão do resto.

Esse trabalho pode se referir a sentimentos e emoções, mas também ao plano material. Penso, por exemplo, numa casa que você não consegue arrumar após um falecimento, obviamente que após um período razoável.

Utilizei muitas vezes o Ho'oponopono em sessão para tratar um trabalho de luto, sobretudo relacionado a pessoas que se suicidaram. Deve-se realizá-lo não apenas sobre a relação e o vínculo, mas também sobre a culpa que pode surgir e manter uma ligação tóxica.

O luto por um filho — nesse caso, o termo "luto" me incomoda a princípio. Embora seja difícil, é normal perder os pais, mas perder um filho não está na ordem das coisas. Na minha opinião, é a prova mais difícil que um ser humano pode conhecer. Tive a oportunidade de acompanhar muitos pais que perderam os filhos, tanto crianças quanto mais velhos, e em cada sessão aprendi muito, de diversas maneiras.

Em primeiro lugar, graças à confiança que esses pais depositaram em mim, procurando-me para que eu os acompanhasse por um período e os ajudasse a se reerguer e reencontrar seu caminho na vida; em segundo, graças ao que cada ser encarnado me transmitiu por meio do acompanhamento que fiz do seu parente.

Sempre tive o cuidado de perguntar às pessoas se elas tinham convicções espirituais e, em caso afirmativo, se poderia acompanhá-las nesse sentido. Recebi mensagens que foram verdadeiros presentes. E muitas vezes foi graças a esses presentes que os pais conseguiram apaziguar sua dor, sobretudo quando me relataram experiências ocorridas em situação de coma.

Por ter uma abertura espiritual, nunca duvidei do que me contavam. Nunca atribuí esses relatos a perturbações devidas à dor, pois tive a oportunidade de perceber durante a sessão a presença luminosa de alguns desses seres falecidos.

Não tive oportunidade de praticar o Ho'oponopono nessas circunstâncias, mas acho que sua prática pode trazer paz. Seja como for, se você estiver próximo de uma pessoa nessa situação, pratique o Ho'oponopono sobre a ressonância que há em você, sem buscar outra coisa.

Utilizar o Ho'oponopono numa situação terapêutica

Há duas maneiras de proceder numa situação terapêutica.

A primeira é praticar o Ho'oponopono mentalmente em relação ao que seu cliente lhe relata. Não é preciso dizer isso a ele. Compreenda que, se você souber dessa situação, assumirá a responsabilidade por ela.

Chamo sua atenção para o seguinte fato: você não tem a obrigação de apresentar resultados; deixe as coisas seguirem seu curso natural. A responsabilidade não é de querer aliviar, mas sim de praticar o Ho'oponopono sobre a repercussão que essa situação provoca em você, mesmo que você não tenha consciência disso.

A segunda maneira é propor a seu cliente que o façam juntos. Em alguns casos, é possível; em outros, as pessoas não estão abertas a esse tipo de prática. Convém respeitar, e é importante saber a quem a propô-la e como apresentá-la. Em geral, utilizo-a ao final de uma sessão de EFT, o que sempre foi bem-aceito e se mostrou eficaz.

O Ho'oponopono como meditação

Ao passear, utilize o Ho'oponopono como meditação. Escolha algo que sirva de motivação para praticá-lo e inicie. Pode ser algo curto ou mais longo. Depois, aceite o que vier no devido tempo.

Ao terminar seu passeio, você se sentirá purificado e em paz.

Você terá esquecido suas preocupações. Uma nova energia estará disponível e, com o passar do tempo, verá que, ao pensar de novo a respeito desses problemas, eles estarão bem menos presentes, terão até talvez perdido toda a sua importância.

A segunda maneira de utilizar o Ho'oponopono como meditação consiste apenas em repeti-lo como um mantra sem tema particular. Você verá que não somente vai se sentir em paz mentalmente, mas também terá mais energia para o seu dia e sua concentração aumentará.

Utilizar o Ho'oponopono para uma casa

Esta sessão trata de uma prática puramente energética.

Em que situações é adequado utilizar o Ho'oponopono para a casa?

- Quando você se instalar num imóvel. As casas e os apartamentos conservam o que chamamos de "memória das paredes". Trata-se de emoções e sentimentos dos antigos ocupantes que se impregnam de maneira sutil, mas que não estão necessariamente ligados a dramas que ocorreram no local.

A escolha de um lugar para morar não se faz por acaso. Em geral, o lugar lhe agrada e você se sente bem nele. Por conseguinte, as memórias que se encontram no local lhe dizem respeito em determinado nível.

O Ho'oponopono permite que você purifique essas memórias e a ressonância que elas têm com você.

Mencionarei o exemplo de uma pessoa que tinha acabado de comprar uma casa. O imóvel correspondia totalmente ao seu desejo, e ela ficou muito feliz com a aquisição. No entanto, não conseguia imaginar quais cores escolheria para os cômodos e ainda sentia a energia dos antigos proprietários.

Praticou o Ho'oponopono e, em pouco tempo, a energia da casa ficou mais leve, até reduzir-se ao nível da sua. Em seguida, a nova proprietária começou a imaginar as cores dos papéis de parede que colocaria.

- Você também pode utilizar essa prática mesmo sem ter mudado de residência. É um meio de colocar-se em harmonia com sua casa. Com efeito, você evolui ao longo do tempo. O lugar onde você mora conserva a sua energia, e é bom que o nível vibratório da residência esteja em equilíbrio com o do morador. Isso ocorre, sobretudo, se você possui um consultório.

Para fazer o Ho'oponopono para sua casa (ou apartamento), conecte-se com ela e comece a praticar. Você vai sentir uma energia diferente. Enquanto faz o procedimento, mantenha uma vela acesa. A prática pode ser realizada em todos os cômodos.

O Ho'oponopono para o ambiente

As causas que perturbam o ambiente são tema de muitos textos. Podemos utilizar o Ho'oponopono para vários aspectos, como a poluição das águas ou uma catástrofe nuclear (mesmo em outro país). Talvez o fato de vivermos nesta época, em meio a todos esses problemas, não seja um acaso para todas as pessoas que têm a possibilidade de utilizar ferramentas como o Ho'oponopono.

O Ho'oponopono de manhã, ao despertar

Como meditação, você pode reservar alguns minutos para praticar o Ho'oponopono. Utilize-o se tiver passado uma noite ruim, se estiver de mau humor, se estiver apreensivo com as coisas que precisa fazer. Você perceberá que com isso vai se sentir bem mais confiante.

O Ho'oponopono à noite, antes de dormir

Dormir com a mente serena favorece uma noite relaxante. Com tranquilidade, reflita sobre seu dia e sobre o que pôde ter lhe causado preocupações. Pratique o Ho'oponopono. Você não apenas purificará essas memórias, como também, ao adormecer, favorecerá o contato com a parte mais elevada do seu ser.

Se tiver um problema recorrente, conecte-se com ele antes de dormir e pratique o Ho'oponopono. Aos poucos, você perceberá que esse problema desaparecerá gradualmente e soluções surgirão.

O Ho'oponopono com os animais

Você também pode utilizá-lo com os animais. Uma pessoa do nosso círculo de amizades tinha acabado de adquirir um segundo gato. Como ele era selvagem, sempre dava um jeito de sair e ir para a casa do vizinho. Cavava um buraco e fazia suas necessidades no jardim. Em pouco tempo, os problemas com a vizinhança ganharam tamanha magnitude que o vizinho ameaçou envenenar o gato. A proprietária trancou o animal, que não parava de chorar. Ela conversou com o meu marido sobre o assunto e, juntos, fizeram o Ho'oponopono. O problema deixou de existir já no dia seguinte. O gato continuou a sair e a passear no jardim do vizinho sem mais complicações.

A oração da cura

Essa é a oração que Morrnah Simeona, curandeira havaiana que ensinou o Ho'oponopono ao doutor Hew Len, utilizava. Fiquei particularmente emocionada com suas palavras e acho que ela completa o Ho'oponopono, pois mostra com precisão sua essência.

"Divino Criador, Pai, Mãe, Filho como um só... Se eu, minha família, meus parentes e meus ancestrais ofendemos a ti, tua família, teus parentes e teus ancestrais em pensamentos, palavras e ações desde o início da criação até o presente, pedimos o teu perdão. Permita que isto limpe, purifique, libere, interrompa todas as memórias, bloqueios, energias e vibrações negativas, e transmute essas energias indesejáveis em uma luz pura."*

---

* Citação extraída do livro *Limite Zero*, de J. Vitale e I. Hew Len. [Na edição brasileira, p. 21. (N. da T.)]

CULTIVAR A GRATIDÃO

O Ho'oponopono é uma excelente ferramenta para trabalhar todas as memórias e programas que envenenam nossa vida. Ele nos ajuda a deixar que as coisas sigam seu curso natural e a abrir nosso coração. Às vezes, logo percebemos seus efeitos; outras, demoramos mais, ou nossa percepção é mais sutil.

Eu também gostaria de ressaltar o fato de que essas quatro frases breves nos abrem para a gratidão.

A gratidão é a ferramenta mais poderosa que nos permite mudar. Sempre haverá alguma coisa na sua vida, mesmo que pequena, pela qual você pode se sentir agradecido. Praticar a gratidão nos insere em emoções positivas, que desenvolverão reações neuroquímicas favoráveis ao bem-estar. Quanto mais as cultivarmos, mais elas crescerão, até dominar o lado negativo. Temos a escolha de ver o copo meio cheio ou meio vazio. Às vezes, é uma questão de hábito no início, mas com a prática isso se torna fácil, e nossa maneira de ver a vida muda. Os acontecimentos são sempre os mesmos, mas como o modo como encaramos é diferente, eles já não assumem a mesma importância, e seu impacto é menor.

    Saibamos nos encantar e agradecer ao Universo, sentir gratidão por tudo o que temos e que embeleza nossa vida. Quando praticamos a gratidão, nossa vida parece mais leve. Já não nos concentramos no que não dá certo. Por isso, saibamos dizer: "Sou grato, eu te amo"...

    ... quando caminharmos sob o céu azul e sentirmos o espírito leve.

    ... quando a natureza nos deslumbrar com suas cores e seus perfumes.

    ... quando as dificuldades se resolverem e recebermos uma boa notícia.

    Não nos esqueçamos de dizer "sou grato, eu te amo" também por nossa vida.

    Sentir gratidão nos permite deixar entrar luz em nossa vida. E precisamos muito dela. Concentrar-se no que é positivo não significa negar o que não dá certo, mas nos dar a oportunidade de não nos determos no detalhe que impede de ver o todo. A gratidão também é o início do caminho para a felicidade.

CONCLUSÃO

Desde a infância, minha ligação com a natureza é muito forte. Mais interiorizada, eu sentia os lugares no nível da energia que deles se desprendia. É claro que eu não podia traduzir nesses termos, mas minha sensibilidade e minha relação com o invisível estavam presentes. Vim de uma família de *curanderos*, e logo cedo meu pai me transmitiu a paixão pelas plantas. Aprofundei toda essa sabedoria no final da adolescência graças ao yoga. Também tive a oportunidade de conviver com várias pessoas originárias de culturas tradicionais e assim tive acesso a essa sabedoria que chamo de "sabedoria do mundo". Apaixonada por dança, tenho uma prática de várias décadas em abordagens pluridisciplinares nas quais, mais uma vez, pude saborear a sabedoria do mundo. Minha curiosidade, minha sede de saber e minha visão sintética me permitiram compreender que, seja qual for a cultura, falamos da mesma coisa de diferentes maneiras, com termos e símbolos diferentes. Mas a essência permanece a mesma.

Vivemos apartados, separados do Universo e de nós mesmos. Utilizamos as técnicas como tais, ferramentas externas a nós, das quais esperamos a resolução de nossos problemas. As técnicas nos permitem estabelecer a conexão conosco. Temos de escolher com qual técnica sentimos afinidade, talvez com a que vier a nós no momento em que estivermos prontos. Mas esse caminho — pois, para mim, trata-se de fato de um caminho interior — inscreve-se ao longo de nossa vida pela busca de sentido, a busca de si mesmo. Como muitos, diversas vezes caí na ilusão de que tinha resolvido tudo, de que tinha chegado ao final. Felizmente, não cheguei. Por certo, esclareci, transformei e purifiquei muitos bloqueios, dei sentido à minha história, mas ainda há um longo caminho a percorrer, e sempre haverá para todos nós enquanto não chegarmos ao fim da vida. Se muitas vezes iniciamos o percurso por uma terapia que buscamos porque estamos sofrendo, em dado momento, quando a transformação é profunda o bastante, continuamos por essa rota como pesquisadores a serviço da vida em nós. Estou continuando esse caminho, e, para mim, uma de suas etapas é a transmissão da sabedoria do mundo por meio dos temas dos meus livros, dos grupos de trabalho e dos acompanhamentos.

Na minha opinião, permanecer conectado a essa sabedoria e a tudo o que ela implica, ser seu guardião e seu defensor é nosso dever como seres humanos vivendo nesta Terra. Isso vale para cada um de nós. Não há nada de mágico, nada de paranormal. Apenas o conhecimento de si e do Universo. Tudo está em nós, mas somos poluídos por nossas emoções negativas, nossas crenças limitadoras e por todas essas memórias que são ativas e poluidoras e nos impedem de ver a luz.

A união dos dois polos de nossa personalidade, o material e o espiritual, passa pelo coração. Do ponto de vista simbólico, é o lugar de troca entre a energia da parte superior e inferior do corpo. Não podemos dar prioridade a uma e não à outra. O espiritual deve impregnar o material, e ambos devem unir-se em equilíbrio; então, sim, seu saber interior se transformará em sucesso exterior.

Para saber mais sobre minhas atividades, meus estágios e minhas conferências na França e no exterior,

acesse o meu site

www.laurenceluye-tanet.com

BIBLIOGRAFIA

Balsekar, Ramesh S., *Tout est conscience*, éditions L'Originel, Paris, 2007.

Brosse, Thérèse (Dr.), *La Conscience énergie, structure de l'homme et de l'univers*, éditions Présence, Sisteron, 1984.

Garnier Malet, Lucile e Jean-Pierre, *Changez votre futur par les ouvertures temporelles*, éditions Le Temps présent, Agnières, 2006.

Kahili King, Serge, *Huna*, éditions Le Dauphin blanc, Quebec, 2011.

Luyé-Tanet, Laurence, *La Méditation, art de vivre au quotidien*, éditions Eyrolles, coll. "Du côté de ma vie", Paris, 2010.

Nathan, Tobie e Stengers, Isabelle, *Médecins et sorciers (manifeste pour une psychopathologie scientifique — le médecin et le charlatan)*, éditions Les Empêcheurs de penser en rond, Paris, 1995.

Shook, E. Victoria, *Ho'oponopono Contemporary Uses of a Hawaiian Problem-Solving Process*, East West Center Studies, Honolulu, 1981.

Tole, Eckhart, *Le Pouvoir du moment présent*, éditions Ariane, Quebec, 2000.

Vézina, Jean-François, *Les Hasards nécessaires, la synchronicité dans les rencontres qui nous transforment*, éditions de l'Homme, Quebec, 2001.

Vitale, Joe e Len, Ihaleakala Hew, *Zéro limite, le programme secret hawaïen pour l'abondance, la santé, la paix et plus encore*, éditions Le Dauphin blanc, Quebec, 2008.